JN034538

植松　正著

新日本刑事學叢書(2)

民族と犯罪

有斐閣書肆

「新日本刑事學叢書」　發刊の辭

新しい文化國家の建設といふことが再建日本の目標である。文化國家は秩序と平和との支配する國家である。そこには犯罪はあつてはならぬ。然し、犯罪のない社會は理想である。正確な現實の認識を基礎として、右の理想實現への道を探求するのが刑事學の任務である。從つて、再建日本の一つの課題は科學的な刑事學の樹立である。本叢書はかかる課題に應へんと企てられたものである。

小引

科學は平明な心意の上において始めてその業績を築くことができる。民族の問題についても、昭和二〇箇年のわが國では、日本民族の優秀性を妄想することが流行した。古典の神話・傳説を中核として、近代文化の諸の發明・發見をすらわが祖先の功業に附會しようとしたのであつた。然るに、一敗地に塗るゝや、たちまち極度の劣等意識に支配されて淺膚なる模倣に寧日なく、民族の前途に希望を失へるが如くである。これらはいづれも識者の斷じて採らざるところである。著者は戰前・戰後を通じて變らざる平明の態度を以て、こゝに「民族と犯罪」の問題を敍說し、わが民族の犯罪性のことにも觸れて行かうとする。

著者は以前から民族と犯罪との關係問題に興味を持ち、文獻に現れた諸家の研究成果にも注目してゐたし、自分でも直接に資料を整理して實證することもやつてみた。さうして今までに數篇の論文を書いた。時あたかも本叢書刊行の企圖が起つたので、その數篇を一冊に纒めて本書を編み、これを世に送ることにした。これ一に東北大學木村龜二教授の好意ある御勸奬の賜である。また、原稿の整理と校正とは、金子好郎・大村政男兩君の誠實な助力によつて成された。記して感謝の意を表する。

昭和二二年新秋

飛鳥山に近き僑居にて

植松　正

內容目次

挿入表目次

第四篇　臺灣在留諸民族の犯罪性……一六二

第一篇　諸民族の犯罪性

第一章　序　說

犯罪學においては犯罪原因を素質と環境とに二大別することがほとんど一つの傳統となつてゐる。この素質と環境とを最も大づかみな姿で代表するものは人種と風土とである。しかし現實の具體的な犯罪は常に兩者の輻輳關係において成立する。環境の惡いことが犯罪發生に重要な役割を演じてゐる場合もあらうが、惡い環境にある者の決定的な多數は遺傳的にも不良の素質を傳へられた者である。また反對に遺傳的な惡質者は屢〻犯罪人となるであらうが、その種の者の大部分は後天的にも粗惡な環境のもとに置かれてゐるのを常とする。かやうなことは個々の犯罪人についても當てはまるとともに、多數の成員から成る共同體についてもいへることである。民族性の問題に關しても風土一元、人種全因といふやうな考が人爲的な偏向に陷るのもこのためである。勿論、十分嚴密周到な檢討を經て、いづれか一方に歸せらるべきことが證明された曉には、それも許されるであらう。しかしながら、現在は現在までに知られた限度において論ずべきである。であるから、民族といふ概念を遺傳的素質的意味の濃厚な人種の概念と混同せざらんことを望むものである。それは素質と環境との輻輳關係において現に成立して存在するものである。「民族性」といふ言葉は決して生物學的な遺傳的素質を意味するのではなく、社會學的な文化共同體(1)として觀念さるべきである。(2)少くともこゝに用ゐてゐるのは、その意味においてであることを斷つておきたい。

本篇はかゝる意味において民族性と犯罪性との相關問題を考察して行かうとする。いふまでもなく、この種の研究にとつて、最も價値ある成果は、一方において直接に諸民族の生活に親しみ、その犯罪事件にも數多く接して、事例研究的經驗を積み、他方においては科學的に整備された方法に則り、良心的に蒐集された犯罪統計を處理することによつて初めて得られることである。しかしその方法は所與の問題に關する限り、現在の我々にとつては不可能である。僅に限られた一、二の民族について、現實の資料を得て勞作することが許されてゐるに過ぎない。いままでに得られた材料については、朝鮮や臺灣が重要な意味を持つ。臺灣については著者に特別の便宜があつたので、別篇に論ずることと(3)(4)する。(5)こゝでは從來この方面についてあきらかにされた諸事實につき文獻綜說的敍述を加へて、一つの覺書を作ることにする。

由來特に犯罪性を問題として取上げられることの多かつた民族は、アメリカ・ニグロ、ジプシー、ユダヤ人の三者である。これら諸民族は從來我々日本人にとつてあまり關係の深い民族ではないが、この三者のため各一章を設けて敍述するのはそのためである。かくて最後に爾餘の諸民族にしてその犯罪性につき文獻の徵すべきもののあるについては、一括して簡敍略說するといふ方法をとる。

本篇もとより文獻を盡したといふのではない。殊に當然參看すべくして入手し得ざるもの二三ある(6)については、頗る遺憾に思ふのであるが、ともかくも大要を敍して、今後の經驗科學的研究への備忘の役に立たしめたいと思ふ。

註（1）Eickstedt, E. F., Rassenkunde und Rassengeschichte der Menschheit, 2. Aufl., 1. Bd., I. Lfg., 1937, S. 40.

（2）新明正道「民族社會學の構想」昭和一七年、六頁以下。

（3）植松正「臺灣犯罪現象の概觀」、民俗臺灣、昭和一七年、二卷一二號、二頁以下。

（4）植松正「犯罪現象より見たる臺灣在住民の族系的差異」、臺法月報、昭和一七年、三六卷一〇・一一・一二合併號、四七頁以下。（本書第四篇一六六頁）

（5）植松正「臺灣本島人における福建系と廣東系との性格比較」、臺灣司法保護、昭和一八年、通卷一〇二號、四頁以下。

（6）殊に必要と思はれるのは Hacker, Statistique Comparée de la Criminalité. Rev. Intern. de

Droit Pénal, 1936 である。

第二章　アメリカ・ニグロの犯罪性

一　アメリカ合衆國ではニグロ問題が最も困難な社會問題の一つだといはれてゐる。それだけに「民族と犯罪」に關する問題についての關心も少くないやうである。それは第一に、白人と黑人といふ極めて明白な異人種が面を接して生活してゐるといふことにもよるであらう。本來、雜多なる異民族の集合として成立したアメリカ合衆國においては、ニグロに限らず一般に民族性と犯罪との關係を研究するには極めて好都合な地盤を持つてゐる。

アトランタ（Atlanta）大學は一九〇四年ニグロ人の犯罪に關する問題を取上げ、その報告は Some Notes on Negro Crime. Report of a Social Study. The University Press. Atlanta, 1905. として報告された。それは同大學逐年刊行のニグロ研究報告の一篇をなしてゐる。この報告によれば、ニグロは全國を通じて白人よりも遙に犯罪率が高いが、モンゴルやインディアンよりは少い。すなはち一八七〇年乃至一八九〇年の犯罪統計によると、第一表の如くである。

この表のうち一八七〇年と一八八〇年とがニグロを摘示してないのは、資料を缺ぐためである。こ

第一表

アメリカの在監人人種別（各人口萬についての囚人數）

人種＼年度	1870	1880	1890
白色囚	7.40	9.60	10.42
有色囚	16.21	24.80	32.75
ニグロ囚	—	—	32.50
支那囚	—	—	38.35
インディアン囚	—	—	54.76

の兩年度におけるニグロについての資料は「有色」中に合算されてゐる。(1) この表からみると、ニグロの在監人は白人のそれに比し約二倍乃至三倍に相當することが知られる。この倍率は報告者を異にすると、必ずしも一致しないが、それは資料の相違によるものであらう。いますべての年度を漏れなく示すに足る資料を手許に持たないが、ニグロの犯罪率（嚴格にいへば、こゝに示されたのは在監人數である）が白人のそれよりも著しく高率であるといふことは、その後の年度についても同様に觀取され得ることである。すなはちニグロの犯罪人はニグロの一般人口百萬につき、一九一〇年に一、八二二・七名、一九二三年には一、三〇五・九名であるのに對し、白人は白人の一般人口百萬に對し、右各年度においてそれぞれ六〇九・二名および四〇四・一名である。この一九二三年の資料はさらに次の如く換算することもできる。ニグロは同年の一般成人の人口中その九・三％を

占めるに過ぎないが、在監人全員中にあつては三一・三%の多きを算する。(2)もつと新しく一九三六年度の資料によれば、各一五歳以上の人口十萬につき全米有罪者の出現率は、アメリカ籍白人四三八名に對し、ニグロ一、三〇六名となつてゐるから、(3)ニグロは白人の約三倍の高率を示してゐる。かういふ傾向はほゞ恒常的に見られるやうである。從つてニグロの犯罪率が高いといふことが、合衆國では一般に信ぜられてゐるし、(4)(5)また現象的事實として、疑をいれないことであるといつてよからう。さうして、白人とニグロとの間の犯罪率における差異が、男性におけるよりも女性において著しいといふことも數値上明瞭である。(6)ギリン (Gillin) の報ずるところによれば、全米における犯罪人中女は男の九分の一に過ぎないが、ニグロ犯罪人だけについていふと、女は男の四分の一を占めてゐる。一般人口との比を求めると、ニグロ女は白人女の約六倍の高率を以て犯罪に關與してゐる。(7)

ニグロが白人より犯罪率において高いといふ現象は合衆國の國內地域を異にするにより大きな相違がある。前掲アトランタ大學の報告によれば、一八九〇年度におけるニグロ犯罪人(在監人)は人口一萬につき、北部諸州では七五名なるに對し、南部諸州では僅に二九名である。(8)また別の研究者の報ずるところによつても、ニグロが白人より犯罪率高しとの事實は、全米各地につき、逮捕數についても宣告數についてもいへることである。その一九一〇年の入監員數は全國平均につきニグロは白人の二・四倍の高率(これは當該人種の一般人口との比率を比較の基礎とした率である。)であるのに對し北部だけの數値はニグロが白人の五・六倍に達してゐる。州別に名をあげれば、ウィスコンシン(Wisconsin)、ミネソタ(Minnesota)、アイオワ(Iowa)、兩ダコタ(the Dacotas)、などが最高率で、南部と北部との中間に位置するミゾーリ(Missouri)、インディアナ(Indiana)、オハイオ(Ohio)、ケンタッキー(Kentucky)、カンサス(Kansas)等がこれに次いでゐる。勿論その他の南部諸州はさらに低率である。(9) かくて北部が南部よりもニグロの犯罪率高きことは明白である。殊に南北兩地方間の差異は女性犯罪において特別顯著である。ギリンの調査ではニグロは白人に對して犯罪率において男子は五倍に過ぎぬが、女子は一五倍に相當するといふ。(10)

なにゆゑに、南部と北部とでかやうな差異が起るのであらうか。まづ第一に、北部は南部よりもニグロの人口密度が著しく稀薄であり、ニグロは白人と接觸する機會が甚しく多いといふことを思ふべきである。そこでニグロ犯罪の南部低率北部高率現象の原因につき、サザーランド(Sutherland)は南部においては北部におけるよりも、ニグロの犯罪が看過され易く、白人よりも一般に逮捕困難であらうとの推測を下してゐる。(11) エッティンガー(Ettinger)はニグロが南部では田舍に多く居住してゐるに對し、北部では都會生活を營んでゐるとの事實を以てこの說明に充ててゐる。(12) 殊に第一次ヨーロッパ大戰の結果として、ヨーロッパ人の移住者が激減したため、その補充として一九一〇年代にニグロが北部へ著しく移住した。しかしかれらは北部の都市生活に十分順應することが出來ず、人種的摩擦を生じて、犯罪の増加を來したと見られてゐる。(13)(14) 實に移住自體が犯罪率増加と高い相關關係のある現象なのである。(15) これらの觀察は恐らく眞相を傳へてゐるものであらうと思ふが、なほ一點、北部のニグロは特に成人男子を多く含むといふ事實も一考する必要がある。成人男子が多いといふことは最も犯罪率の高い人口構成を持つといふことだからである。然るに、成人男子だけについてニグロと白人とを比較してみても、北部では南部におけるよりも兩者間の倍率が高い。丁度南部と北部とを比照するに好都合な資料がないが、次善策として北大西洋諸州（所謂北部には該當せず、東部に含まれる地域である。）と北部中央諸州（所謂北部に該當する地域である。）とを比較してみると、成年男子總數に對する犯罪人の割合は、前者にあつてはニグロはニグロにあらざる者の三倍にしか當らぬが、後者ではそれが七倍になつてゐる。(16) ニグロが北部において特に犯罪率高きことは最早動かすことの出來ない事實である。さうしてその理由は上にあげた種々の事情によると考へることも蓋し誤なきものであらう。しかしなほ、人種的な見解の相違が裁判や捜査に關係を有するであらうといふことも看過出來ない。この問題については後に論及するところに讓る。

註

（1）Fehlinger, H., Die Kriminalität der Neger in den Vereinigten Staaten. Arch. f. Kriminol., Bd. 24, 1906, S. 112 f.

（2）Haynes, Fred. E., Criminology, 1930, p. 85.

（3）Exner, Franz, Volkscharakter und Verbrechen. Mon. f. Kriminalpsychol., 1938, S. 406.

（4）Gault, Robert H., Criminology, 1932, p. 204.

（5）Gillin, John L., Criminology and Penology, 1929, p. 59. はこの數値的差異をこれより小さく算出してゐる。理由は審でないが、一般人口との比率からみて、ニグロの犯罪は白人の二倍乃至一倍半であると報じてゐる。いづれにせよ、兩者間に相當大きな開きのあることは確實である。

（6）Haynes, ibid.

（7）Gillin, Op. cit., p. 61.

（8）Fehlinger, Op. cit., S. 113.

（9）Sutherland, Edwin H., Criminology, 5th. imp., p. 103.

（10）Gillin, ibid.

（11）Sutherland, ibid. これと同様に、警察網の非常に發達したわが國の領土内にあつた臺灣においても、臺灣本島人の犯罪が内地人のそれよりも却つて檢擧困難に陷るもの多しといはれてゐた。

（12）Ettinger, Clayton J., The Problem of Crime, 1932, p. 119.

（13）Donald, H. H., The Negro Migration of 1916-1918. Jour. Negro Hist., 6, 461-462. October, 1921. Eqstein, A., The Negro Migrant in Pittsburgh, Pp. 47, 48 (from Sutherland, ibid.)

（14）Ettinger, ibid.

第二表
白人とニグロとの罪質別比較(%)

罪質＼人種	白人	ニグロ
國家權力に對する罪	2.9	0.7
社會の安全に對する罪	27.0	16.5
人身の安全に對する罪	17.9	26.0
財產の安全に對する罪	45.2	46.7
その他の罪	7.0	10.1

(15) たとへば Duncan, Otis D., **An Analysis** of the Population of the Texas Penitentiary fr.m 1906 to 1924. Amer. J. of Sociol., vol. 36, 1931, p. 772.

(16) Fehlinger, Op. cit., S. 113.

二　白人に比しニグロが犯罪率において甚だ高率であることを上に述べて來たが、その理由を追及するにつき、最初に地理的事情を考察した。こゝに眼を轉じて罪質別考察に移ることとする。

これにつきフェーリンゲル（Fehlinger）は第二表の如き結果を示し、結局財產罪の如く經濟的困窮に起因する犯罪は白人もニグロも殆ど同樣であるが、白人は社會の安全に關する罪を多く犯し、ニグロは人身に對する罪、就中性的犯罪を犯すこと多き事實を述べてゐる。[1] ニグロにおいてこの人身に對する罪が多いといふことは、他の研究者等によつても認められ、動かぬところであるが、そのうちで性的犯罪が特別に高率に現れてゐるかどうかは必ずしもさう明瞭ではない。ニグロを「性動物」（Geschlechtstier）と呼んでゐる者もある[2]くらゐであるから、この種の犯罪を犯し易い傾向があると見られてゐることは間違ないであらうが殺人、傷害の如き所謂流血犯もこれに劣らず多いのである。[3][4] サザーランドが罪名別に記述するところによれば、一九一〇年の國勢調査に現れたところにおいては、全在監人の五分の一強がニグロによつて占められてゐるが、「重き殺人」（grave homicide）の犯罪人だけについてみると、全犯罪人の五六%はニグロであるから、かれらに人身犯罪が多いといふ事實の一端を知るに十分である。同様に、「輕き殺人」（lesser homicide）では全犯罪人の四九%、暴行では四一・一%、賣淫、私通、強盗、夜間侵入、竊盗、禁酒法違反等の各罪においてはいづれも全犯罪人の約三分の一をニグロが占めてゐる。[6] 視點を變へて、各單位人口中に含まれる犯罪人の割合についていふと、ニグロは白人に比し「重き殺人」および「輕き殺人」では各約八倍、暴行では約六倍、賣淫、私通、強盗、剽盗、竊盗、強姦、禁酒法違反等では各約四倍の高率を示してゐる。[7] これらの犯罪のほか擬装兇器の携行、賭博なども特に多いと報じてゐる者もある。[8]

罪質別の考察につき特に注目すべき現象は女子の侵入竊盗において、ニグロは白人の約一一倍、暴行において約三三倍といふ著しい高率を示してゐることである。[9] こゝにも單純にして粗暴な低文化的犯罪への傾向が殊に明瞭に出てゐる。

これを要するに、ニグロは人の生命身體に對する罪を犯すことにおいて、白人よりはるかにその頻度著しく、それが一つの特徴をなしてゐることは疑ない。しかし既にあきらかな如く、財産罪においても決して低率なのではない。たゞ、その犯すところの財産罪は强竊盗の如き單純粗暴な種類に限られ、詐欺、恐喝の如き知的要素を多く含む種類についてはニグロを特色づけるほどの犯罪率を示してゐない。ゆゑにニグロの犯罪はその文化的低段階を如實に物語つてゐるといふべきである。

罪名の上からみても察知されるやうに、ニグロは刑法上重罪とされるやうな犯罪領域に多く關與してゐるから、當然その受ける刑罰も一般に白人より重いものとならざるを得ない。一例を擧げれば、一九一〇年に全米において、死刑の宣告を受けた者のうち四九名、すなはち全員中の三七・七％はニグロであつた。また、自由刑の宣告を受けた者のうち一年以上の刑期を科せられた者の割合は、ニグロにおいては白人の三倍に上る高率であつた。一九〇〇年においてもニグロの自由刑受刑者の約三分の一には一年以上の刑期が科せられたに對し、白人は僅にその一割が一年以上の刑期を言渡されたに過ぎない。(10) なほ別の報告によれば、年度は審でないが、合衆國生れの白人では刑期一年未滿の者二八・五％、一年以上の者七一・五％であり、外國から移住した白人では刑期一年未滿の者四三・六％、一年以上の者五六・四%なるに對し、ニグロにおいては刑期一年未滿の者二〇・四%、一年以上の者七九・六%となつてゐる。[11]

このことは、視點をかへて、一年以上の刑期を宣告された全員中に含まれるニグロの數を見ても、その眞實なることが裏書されてゐる。たとへば、一九一〇年度において、一年以上の刑期を宣告された者のうち四〇・九%ならびに一年未滿の刑期を言渡された者のうち一三・四%がそれぞれニグロであつた。[12] これを合衆國における一般人口中にニグロの含まれる量が僅に九・三%であるといふ[13]事實と對比するとき、犯罪人人口殊に重刑受刑者の人口構成中においてニグロの占める量は驚くべく大きいものであるといはなければならない。

これらの事實を綜合すると、ニグロは合衆國において、甚だ犯罪率高き民族であるとともに、その關與する犯罪の罪質は人身に對する罪を多しとし、財産に對する罪においてもかなりの高率を示してゐるが、その大部分は強竊盜の如き單純粗笨なる態樣のものであつて、巧緻複雜な態樣からはおのづから遠ざかつてゐることになる。

註 (1) Fehlinger, Op. cit., S. 114.

(2) Moreira, Augusta, Zur Kennzeichnung der Farbigen Brasilianer, im „Globus" (30, Januar,

1908) (Nach Näcke, P., Die Verschiedenartigkeit der Neger. Arch. f. Kriminol., Bd. 33, 1909, S. 180.)

(3) Näcke, P., Rasse und Verbrechen. Arch. f. Kriminol., Bd. 25, 1906, S. 65.

(4) Roesener, Ernst, Ausländer: Elster, A., u. Lingemann, H., Handwörterbuch der Kriminologie, 1933, Bd. 1, S. 84.

(5) Roesener, ibid.

(6) Sutherland, Op. cit., p. 105.

(7) Gillin, Op. cit., p. 60.

(8) Haynes, Op. cit., p. 79.

(9) Gillin, Op. cit., p. 61.

(10) Haynes, Op. cit., p. 80.

(11) Fehlinger, Op. cit., S. 114.

(12) Haynes, ibid.

(13) Ettinger, ibid.

三　ニグロの犯罪における上敍の如き性格は何に由來するのであるか。ニグロの犯罪についてのかゝる高率、かゝる悪質等について、十分割引して考ふべき幾多の理由がある。それを列擧すれば次の如くである。

一、ニグロは白人とは風俗習慣を異にし、未だ白人的な法律制度によく融合するに至つてゐない。

二、ニグロは白人に比して經濟的弱者である。經濟狀況の惡いことが犯罪を多からしめてゐるのである（アトランタ會議の見解）[1]。この點を解明するには、經濟的位相の相照應する者についての比較研究を行はなければならない。

三、ニグロの被告人は貧困で辯護人を依賴し得る者が少い。本人がまづ收監されてしまつて審判開始後辯護人を賴む者は稀である[2][3]。しかし合衆國のやうな訴訟制度のもとにおいては、辯護人を附すると否とは被告人の立場に著しく大きな相違を來すであらう。

四、ニグロには貧困で罰金が支拂へないため收監される者が多い[4]。ニグロの犯罪に關しては單に在監人を資料とした調査が多いから、この點も調査の結果算出された數値に影響してゐるであらう。

五、ニグロ囚は一般に年齡の低い者が多い。この點は白人囚に比べると一つの特色のやうである。これはやはり犯罪率を高からしめる理由となつてゐると見るべきである。然るにフェーリンゲルは、一般人口の構成においてもニグロは白人よりも若い者が同樣に多く含まれてゐるとの理由により、このことは人口との比率において求められた犯罪率の高いことの原因にはならないと主張してゐる[5]。しかし犯罪發生率の高い年齡群を一般人口構成中に多く含んでゐるといふことが事實であるとすれば、それは、あきらかにその民族の犯罪率を高からしめる要因となることは疑ない。

六、司法保護關係が惡い。ニグロは保護を得難いので累犯率が高いといはれる。(6) 確に累犯率は高い。ファーナード（Fernald）等の調査によれば白人の累犯率は五五・一％（原著の記述明瞭を缺くが、初犯者の五五・一％の意味であらう。）であるが、ニグロの累犯率は六九・四％にもなつてゐるし、一人當りの犯數平均も白人は一・五二犯に過ぎぬが、ニグロは二・四九犯に相當する。(7) 保護についてもう一つ注意されるのはニグロ囚を白人の耕地所有者の手に委ねる制度が惡いともいはれることとである。これがニグロを不道徳化し、腐敗させたといふことであるが、(8) 今日でもそれが行はれてゐるかどうか審でない。

七、ニグロは文盲、群集生活、貧困、精神缺陥者隔離施設の不備等のために犯罪率が高くならざるを得ぬ。(9)

八、裁判、檢察が往々ニグロに對して一層嚴重に行はれるといはれてゐる。このことは合衆國自體の學者によつても氣付かれ、或る者はニグロの犯罪率高きこと、刑罰重きこと等は擧げてこの理由によるものの如く主張してさへゐる。(10)(11) 蓋し偏見は理性を越えた感情の問題である。

九、異民族相接觸するときは對立抗爭を起し易い。些細な感情の上の行違ひから犯罪が誘發されることもあるし、この處理が極端に走るために、[12][13]益〻この傾向を助長する。

一〇、敎育も勿論ニグロには十分行渡つてゐない。[14]たとへば一四九名のニグロ死刑囚と五一名の白人死刑囚とにつき調査したところによれば、白人は二二名（四三％餘）が文盲であつたに過ぎないが、ニグロはこのうち一二〇名（八〇％餘）が文盲であつた。[15]

一一、ニグロの犯罪人には精神缺陷ある者が多い。[16]

以上の如き種々の事情から、ニグロの犯罪率が高くなつてゐると推測され得るのは事實である。しかし眞にこれらの事情が本質的にニグロの犯罪高率の主因をなしてゐるかどうかは、これだけの研究からはまだあきらかにされてゐない。いづれも推定的なものであつて斷定的な意味は持たない。眞相の究明は、もつと條件の齊一な資料を抽出して比較しなくては行はれない。どこの國でも、利用し得べき犯罪統計はかういふ點において甚だ不備たるを免れないやうである。かくて詳細な解明はたゞ今後に俟つのほかはないが、現實の事實としてニグロ犯罪の高率と粗暴性、單純性とは、ニグロの民族性の一端を示すものといつてよからう。勿論それは恒常不變な宿命的性格を意味するのではないが、現實態としてのニグロの犯罪の特徴を語るには足るといはなければならぬ。

註（1）Fehlinger, Op. cit., S. 114.

(2) Ettinger, Op. cit., p. 118.
(3) Gault, Op, cit., p. 204.
(4) Gault, Op, cit., p. 205.
(5) Fehlinger, Op. cit., S. 113.
(6) Gault, ibid.
(7) Sutherland, Op. cit., p. 105.
(8) Fehlimger, Op. cit., S. 114. この制度は既に一九〇六年頃にあつたが、二三の州にしか行はれてゐなかつた。
(9) Ettinger, Op. cit., p. 81.
(10) Haynes, Op. cit., p. 81.
(11) The Chicago Commission on Race Relation. The Negro in Chicago, 1922, p. 345.
(12) Roesener, Op. cit., S. 84.
(13) たとへば Näcke, P., La bête humaine. Arch. f. Kriminol., 1903, Bd. 10, S. 171..
(14) Näcke, P., Die Verschiedenartigkeit der Neger. Arch. f. Kriminol., 1909, Bd. 33, S. 180.
(15) Haynes, Op. cit. p. 82.
(16) Haynes, ibid.

第三章　ジプシーの犯罪性

一　ジプシーの犯罪性は早くからヨーロッパの學者の注目を惹いてゐた。既にロンブローゾ（Lombroso）はグレルマン（Grelmann）の指摘した「彼等は些細な勤勞をもいとふ[1]」との言葉を援用して、勞働嫌忌が犯罪性の主因であることに注目した。ロンブローゾの記述せるところによれば、ジプシーは犯罪人種族の生きた例證ともいふべく、繼續的な勞働に從事するよりは、むしろ飢餓と悲慘とを忍ぶ。たゞ僅に餓死を免れる程度に働くだけである。彼等は他面甚だ復讐心が强く、殘酷である。怒を發すれば、自分の子さへまるで石ころでも投げるやうにぶつける。恥を恐れることなく、收入は擧げて飮酒と裝飾とに使つてしまふ。靴下も履かずにゐながら、身體はきらびやかに著飾つてゐる。彼等は野蠻人や犯罪人と同じやうに無分別で、道德もなく迷信的である。騷音を好み、市場などで大聲で叫ぶ。冷酷な謀殺を敢てし、以前には食人の風習があるかと疑はれもしたくらゐである。女は盜を巧にし、兒童にこれを敎へる。家畜の肉を安く買はんがため、もしくは治療技術の信賴を得んがためには、往々豫め家畜に毒を食はせる。トルコではジプシー女は盛んに賣淫もする。要するにジプシーはすべて僞貨を使つたり、病馬を健馬と僞つて賣付けたりするのを得意とする。丁度ヨーロッパ人にとつて「ユダヤ人」といふ言葉が恰も「高利貸」の同義語の如くに使はれるのと同じやうに、エスパニャでは「ジプシー」("gitano")といふ言葉は狡い家畜販賣人の意味に用ゐられる。彼等の生活は全くその日暮しで、權威、法、規則、義務などといふ觀念はこの民族にとつては頗る煩瑣なものなのである。彼等は服從するとも命令することも好まない。財産の觀念もない。ジプシーには「持つ」といふ語も「ねばならぬ」といふ語も共に關りなきものである。「ねばならぬ」に相當する語はジプシーには存在しない。「持つ」といふ動詞はアジアのジプシーには全然知られてゐないし、ヨーロッパのジプシーにも殆ど忘れられてしまつてゐる。彼等の間には犯罪を讃美せる文學さへ生れてゐるのである。(2)

ジプシーの特質、殊に犯罪的性情については、このやうな古いロンブローゾの敍述が大略その要を報じてゐるといつてよい。その後の研究者の論ずるところもこれと大同小異である。

註（1）Grelmann, Histoire des Bohémiens, Paris 1837. (Lombroso, Le Crime, Causes et Remèdes, 12e. ed., 1907, p. 26.)

（2）Lombroso, Op., cit. Pp. 46-49.

二　リッテル（R. Ritter）は、定住せざる民族についての犯罪學的研究を行つた結果、すべての犯罪的反社會性人格の大部分に共通な心理的標徵として、原始性（Primitivität）と不定住性（Unstetigkeit）とを最も重視すべきであるとし、この兩標徵を兼有する典型的な民族がまさにジプシーなりとしてゐるのである。[1] 一七、八世紀の頃、この不定住民族の集團は多數の團體をなしてヨーロッパ各地を遍歷し、一般から恐れられてゐた。リッテルの調査によれば、現在もこの不定住民族の末裔が多數存在して、反社會的行動を敢てしてゐるのであつて、この民族が互に婚姻して、彼等の原始的な生活樣式を保持し、勞働嫌忌の惡習を今になほ傳へてゐるといふ。[2]

ジプシーは「食物を求めて遊牧の生活を送り、その生活は全く素朴、無憂、全然目的も計畫もない。要するに眞の意味では困窮もなければ必要も知らぬ。終始その日暮しで、貯蓄といふことを心得ない。要するに共同體意識の基礎となるべき結合意識を持たない。[3]」かくの如き社會性の缺如が犯罪の誘因となることは否定すべからざるところである。

ジプシーは「兒童を他人の間に放置して顧みず、從つて兒童も何かを學習しようとの意欲を持たない。淸潔と整頓との感覺を有することなく、たゞ感情的なもの、魔術的なものへ向ひ、自己の行爲不行爲をあげて迷信によつて解決せんとする。一般定住民の持つ道德的、法的な觀念は彼等の思惟にとつて全く無緣のものであり、從つてそれらの定住民の規範は彼等にとつては何等良心を羈束することもない。[4]」「彼等は全く運命のまゝに生活してゐるのであつて、運命を支配するなどといふことは夢想だにしてゐない。[5]」「吾人が以て犯罪その他の非行なりとするやうな行爲も彼等にとつては大切な生活上の行爲なのである。[6]」「かやうな生活態度、かやうな精神構造こそは、まさに民族學者が人種學的意味において、典型的な原始性なりとするところのものである。[7]」ジプシーに關するヨーロッパの學者のかゝる記述を見るとき、他の地域内に居住する未開民族のうちに、これと符節を合するが如き諸事實のあるのを想起せざるを得ないのである。

ジプシーは主として乞食をしてゐるのであるが、乞食といふ行爲そのものを彼等は一種の職業として見てゐるので、巧な乞食は却つて衆望を擔ふといふ有樣である。殊に乞食は女によつて多く行はれるところであるが、彼女等は恰も人に物を貰ふことが當然の權利ででもあるかの如く、甚だ執拗に物を乞ふのを常とする。[8]

なほジプシーの一般的習性中犯罪に關係ある一面として注目に値するのはウィッティッヒ(E. Wittich)の報告である。曰く「ジプシーは馬の取引において買手を利せずして自分だけ利得する祕術を心得てゐる[9]」「自分のものと他人のものとを混同することも稀でない」「ジプシーは官憲に對して仲間を賣ることがない。刑を受けることを少しも恥とせず、受刑によつて却つて仲間の尊敬を贏ち得る。

よく乞丐し、盗み、豫言する者が最も尊敬されるのである[11]」と。

ハンス・グロース（H. Gross）の記述によれば、ハンガリーには「ジプシーのやうに嘘だ」といふ成句があるくらゐ彼等は虚僞を平氣でいふ。また「ジプシーすること」（„Zigeunerei"）とは「虚僞」または「欺罔」を意味するといふことである[12]。またジプシー自體の持つ諺にも彼等の犯罪性を語るに足るものがある。「盗むは恥ならず、されど捕はるゝは恥なり。」、「盗むは働くより易し。」、「己の心にひそかに保たば人これを知ることなし。」[13]等がそれである。かういふ習性、かういふ生活環境から、ジプシーの犯罪は理解されなければならないのである。

註（1）Ritter, R., Primitivität und Kriminalität, Mon. f. Kriminalbiol. 1940, Jg. 31, S. 197.
（2）Ritter, Op. cit., S. 208.
（3）Ritter, Op. cit., S. 198 f.
（4）Ritter, Op. cit., S. 199 f.
（5）Ritter, Op. cit., S. 201.
（6）Ritter, Op. cit., S. 202.
（7）Ritter, Op. cit., S. 200.
（8）Hellwig, Albert, Zur Kriminalität und Charakteristik der Zigeuner. Arch. f. Kriminol., 1908, Bd. 31, S. 76.

第三表

ハンガリーにおける民族別有罪人員

(1934—1937. 各年各有責人口10萬に對する比率)

民族＼年度	1934	1935	1936	1937
ハンガリー人	719	759	836	813
ドイツ人	421	422	445	420
スロヴアキア人	492	591	607	553
ルーマニア人	653	946	969	792
クロアチア人	630	647	747	642
セルビア人	770	833	600	850
ジプシー	6,234	6,880	11,000	10,100

(9) Wittich, E., Blicke in das Leben der Zigeuner, 1911, S. 11. (Hellwig, A. の Arch. f. Kriminol. 1912, Bd. 46, S. 363. における紹介文による。)

(10) Wittich, Op. cit., S. 15, 31. (同上)

(11) Wittich, Op. cit., S. 22. (同上)

(12) Gross, H., Handbuch für Untersuchungsrichter, I. Teil, 7. Aufl., 1914, S. 527.

(13) 同上

三　二三の代表的犯罪學者の記述によつて既にジプシーの犯罪性高きことはほゞ明白であると見なければならない。それはヨーロッパ各地における一般の確信であるといつてよい。それを統計的數字によつて立證した一つの資料を示せば第三表の如くである。(1)

これは詳細を知ることを得ないが、責任能力年齢に達した者の一般人口十萬につき有罪宣告を受けた者の數を示したものと思はれる。これによつても、いかにジプシーの犯罪率が飛抜けて高率のものであるかといふことが知られる。ワードレル（Wadler）がルーマニアおよびセルビアについて數量的に調べたところによつても、ジプシーの犯罪率は一般に甚しく高率である。詳細な數字を見ることは出來ないが、ルーマニアにおいてはジプシーの犯罪は全國犯罪率平均の約三倍に相當するとのことである。(2) ハンガリーにおけるほどではないが、依然その高率なるは注目すべきものであるといはなければならぬ。

ジプシーの犯罪人の人口構成をみると、若年者を特に多く含むといふ特徴が見られる。これは若年者が老年者のために食物を蒐集するといふ彼等の習性に原因があるといはれてゐる。彼等の間にかゝる習性あるがため、年長者は徒食してゐるので、犯罪を犯す機會も少く、もつぱら若年者が犯罪者として活動する。また、たとへ老年者が現に犯罪行爲者たる場合であつても、若年者はこれを庇護して代つて罰を受ける傾向がある。決して老年者は品性が改善されたといふことにはならぬのである。(3)

ジプシーの犯罪についての罪名別の統計資料の參照すべきものが手許にないが、曩にその習性を述べたところからも推知されるやうに、虚僞的手段に訴へるやうな犯罪を多く犯す傾向がある。同じく罪を犯すにしても、詐術的な方法によるものが目立つて多いのを特色とするといつてよからう。さうして人身に關する罪よりは財産に關する罪に對して親和性を有する民族であることは、多くの記述を綜合してほゞ斷定し得るところのやうである。ウィルマンス（Wilmanns）は殊にジプシーの財產犯における累犯率の高きことを指摘してゐる。(4)

ジプシーには一般に特殊な魔力があると信ぜられてゐるため、無智な民衆のこの種の俗信が彼等の犯罪に巧に利用されてゐる。この俗信の一端を示せば、南スラヴではジプシーの脊負袋から盜取したパンは食欲を刺激するばかりでなく、子供に言葉を喋る能力を早く發達させる效能ありと信ぜられてゐる。(5)およそこの調子で、ジプシーに魔力があると信ぜられてゐるため、彼等はこれを奇貨として、民衆を瞞すのである。

人種學者アンドレー（Andree）が報ずるところによると、掏摸、萬引などもジプシーに多く、呪禁で病氣をなほすと稱して人の身體に手を觸れ、その間に掏摸を働くのなどはその適例である。金錢を取替へるときに、一定の年號のものを要求したり、何か特殊のものを求め、自分で他人の錢箱に手をいれてごまくわしたりする。馬の賣買において、病馬を健馬と欺いて賣ることは常套手段であるし、畜病の治療や精神的煩悶の解決にことよせて奉納金をとつたりする。こんなことをされても民衆はジプシーの魔力を恐れて容易にこれを告訴しようとしないのである。(6)

無智な農民がジプシーの欺罔手段によつていかに容易にその手中に陷るかはヨーロッパの文獻に數

多報告されてゐるところである。[7] さればこそ、犯罪學者の敍述のうちにも「彼等は小猫の如く忍込む[8]」とか「幽靈の如く音もなく盗取る[9]」とかいふ表現が見出されることになるのである。

註（1）Hacker, E., Die Kriminalität in Ungarn in den Jahren 1935—1937. Mon. f. Kriminalbiol., 30. Jg., 1939, S. 344.

（2）Exner, F., Volkscharakter und Verbrechen. Mon. f. Kriminalbiol. 29. Jg., 1933, S. 405.

（3）Ritter, Op. cit., S. 202.

（4）Wilmanns, K., Das Landstreichertum, seine Abbilde und Bekämpfung. Mon. f. Kriminalpsychol., 1. Jg., 1905, S. 610.

（5）Hellwig, A., Diebstahl aus Aberglauben. Arch. f. Krim., 1906, Bd. 26, S. 43.

（6）Hellwig, Op. cit., S. 74f.

（7）たとへば Schuster, E., Dummheit und Zigeuner. Arch. f. Krim., 1906, Bd. 23, S. 143.

（8）Gross, Op. cit., S. 508.

（9）Gross, Op. cit., S. 509.

四　ジプシーにはその犯罪に關して特異な風習が幾多傳へられてゐる。そのうち若干の著名なものを摘示してみると、

(1) 古い時代には常に集團を組んでゐた。今でも竊盗團のやうなものを組織してゐることは稀でない。見張役などを使つてゐるので、大勢でやればやるほど、靜かに巧に行ふことが出來るともいへる。[1]

レーゼネル（Roesener）は、特にオーストリーにおいてはジプシーが集團的に入込んでゐるために、その犯罪率高きことが顯著に見られるとし、ジプシーの犯罪の大多數を占めるものは竊盜と詐欺、殊に占卜に伴ふ詐欺であると報じてゐる。[2] しかしドイツにはこの集團は比較的少い。[3]

(2)　このジプシーの集團は犯行後比較的近い地點に停滯する風がある。[4]

(3)「ドライ」（Dry, Drei など綴られる）と稱する猛毒を使用して人畜を害する。それはシベリヤ、南ロシア、インド等において比較的に多く用ゐられ、朝鮮朝顏（Datura）と含毒アルカロイドたを主成分とする。[5] 南アメリカの矢毒（Curare）と同性質のもので、皮下注射により成犬を三〇分間以内にして能く斃死せしめるといふ。[6]

(4)　ジプシーは幼兒略取を好んで行ふと信ぜられ、[7] 殊に赤毛の子を盜むといはれてゐる。[8] さういふ俗信を證すべき事例は甚だ多いが、正確に調査してみると、後にそれが民衆の妄信に過ぎぬことがあきらかにされてゐることが多い。[9] ジプシーは一般に多産であるから子供を盜んでまで、自分等の徒弟を養成する必要もない筈であると論じてゐる文獻もある。[10]

(5)　ジプシーは、殺人の犯行當時著てゐたシャツを一年間そのまゝ著用してゐれば、神の惠みを受けることが出來ると信じてゐる。[11][12] そのため血痕が後まで附著してゐたりして、犯罪捜査上甚だ便利な

ことがある。(13)

(6) ジプシーは變名を用ゐること實に甚しい。(14)(15) 系譜についてもさうである。(16) これは勿論犯罪搜査上頗る不都合である。

(7) ジプシーには特殊用語が非常に發達してゐる。一般に常習性犯罪人にその社會特有の隱語のあることは洋の東西を問はぬ現象であつて、わが國でも博徒や掏摸などの間に、隱語が特別の發達を遂げてゐることは周知の通りであるが、それがジプシーにあつては遙に著しいやうである。從つて、その語彙を集錄したもの、(17) その文法關係を示したもの、(18) 語源を闡明したものなど、(19) その研究も各方面に亙つて行はれてゐる。

(8) ジプシーは竊盜を行ふに當り、往々一種の粉末を撒布する。これは彼等の間で逃走を容易ならしめる效能ありと信ぜられてゐるのである。それは產褥で死んだ女の血液を乾かしたものから出來てゐる。これに自分の血液をも混じて、それで竊取地點に十字を描き、その上に點を打つておけば、發覺を免れるといふ迷信もある。(20) かういふ迷信の魔術的效果を彼等は信じてゐるのである。

これを要するに、ジプシーの犯罪性はその原始的な幼稚な生活態度に加ふるに、長きに亙つて養はれた不德義な思想傾向に大きな根源を有すると見ることが出來るやうである。

註 (1) Gross, Op. cit., S. 510.

(2) Roesener, E., Ausländer: Elster, A., u. Lingemann, H., Handwörterbuch der Kriminologie, 1933, Bd. II, S. 84.

(3) Kléemann, E., Die Gaunersprache, Ein Beitrag zur Völkerpsychologie. Arch. f. Krim., 1908, Bd. 30, S. 253.

(4) Glos, A., Ein Fall zum Kapitel: Zingeunerwesen. Arch. f. Krim., 1905, Bd. 20, S. 65.

(5) Näcke, P., Kleinere Mitteilungen. Arch. f. Krim., 1906, Bd. 26, S. 374 ff.

(6) Abels, A., Das Südamerikanische Pfeilgift Curare als „Zigeunergift.“ Arch. f. Krim., 1909, Bd. 35, S. 181.

(7) Hellwig, A., Unsinnige Blutmordgerichte. Arch. f. Krim., 1908, Bd. 31, S. 91.

(8) Gross, Op. cit. S. 514.

(9) たとへば Homrighausen, Verschwinden der sechsjährigen Else Kassel aus Hannover am 18. Aug. 1901. Arch. f. Krim., 1906, Bd. 22, S. 49ff.

(10) Gross, Op. cit., S. 513.

(11) Lombroso, C., L' Uomo Delinquente, 1889, I, p. 436.

(12) Gross, Op. cit., S. 509.

(13) Hellwig, A., Kriminaltaktik und Verbrecheraberglaube. Arch. f. Krim., 1908, Bd. 38, S. 313.

(14) Gross, Op. cit., S. 523 f.

(15) Gross, Op. cit., S. 64.
(16) Gloss, Op. cit., S. 66.
(17) Jühling, J., Alphabetisches Wörterverzeichnis der Zigeunersprache. Arch. f. Krim., 1909, Bd. 32, S. 219 ff.
(18) Jühling, J., Zigeunerisches. Arch. f. Krim., 1908, Bd. 31, S. 134 ff.
(19) Günther, L., Beiträge zur Systematik und Psychologie des Rotwelsch und der ihm verwandten Deutschen Geheimnissprachen. Arch. f. Krim., 1910, Bd. 38, S. 193 ff., bes. S. 252 ff.
(20) Hellwig, Kriminaltaktik und Verbrecheraberglaube, Op. cit., S. 314.

五　ジプシーの犯罪率高きことについては、その理由を彼等の經濟狀態の不良なるに求めんとする者もあるが、(1) 一般にはその改善は甚しく困難なものと見られてゐるところからみると、單に經濟狀態に歸するわけにもゆかないやうである。

彼等に對する刑事政策としては、何よりもその定住化を計ることが先決問題とされてゐる。定住化によつて生活環境を整序し、犯罪生活から遠のかせようとするのが、その努力の中心である。しかし、この民族の強い放縱欲のため、この政策は幾度か挫折した。(2) マリア・テレジア (Maria Theresia) やハンガリー王ヨーゼフ (Joseph) も失敗したし、エスパニャ、ノールウェー、イングランドなども繼續的效果を擧げることは出來なかつた。(3)

ジプシーは集團生活を營んでゐて、互に犯罪人を掩護しようとするので、檢擧が頗る困難であるところから、犯人を一人に特定し得ない場合にも、連帶的刑事責任を認容することによつて、刑罰法の目的を達しようとの見解も出て來てゐる。[4] また極端な見解に至つては、ジプシーの改善不能を理由として（一）嚴重な監視のもとに强制勞働を行はせるか、（二）斷種によつてこの子孫を斷つかするのほかなしとする。[5] またその取締は國際的に行はるべきことが强調されてゐるのである。[6]

いま彼等の犯罪性がその遺傳的素質に由來するか、それとも不良なる環境に依據するかといふことを斷定するわけには行かないが、そのあるがまゝの姿としてのジプシーは、高き犯罪性を有する民族として特に注目に値するものであることは否定し得ない。しかもジプシーの生活が昔のまゝであまり變化を見せず、[7] またその所在がいづれの地方にあるかによつてもあまり大きな相違を見せないといふことは、[8] その犯罪性が相當根强い民族性に由來することを物語るものと見てよいのであらう。

註（1）Exner, Op. cit., S. 406.

（2）Jaeger, J., Hinter Kerkermauern. Ein Beitrag zur Kriminalpsychologie. Arch. f. Krim. 1905, Bd. 21, S. 23.

（3）Hellwig, A., Zur Kriminalität und Charakteristik der Zigeuner. Arch. f. Krim. 1908, Bd. 31, S. 78.

(4) Hellwig, Op. cit., S. 79.
(5) Ritter, Op. cit., S. 210.
(6) Harster, Th., Der Erkennungsdienst der Kgl. Polizeidirektion München. Arch. f. Krim., 1911, Bd. 40, S. 136.
(7) Gross, Op. cit., S. 502.
(8) Gross, Op. cit., S. 503.

第四章　ユダヤ人の犯罪性

一　國家を形成せず、各地に散在する民族としてユダヤ人はジプシーと共通の一面を持つ。しかし一般にユダヤ人には高度の文化的敎養ある人士を多く含み、殊に經濟的優者となつてゐる點は、ジプシーの原始性とは甚しき對蹠的相貌を呈してゐる。このユダヤ人は歐米人の間にあつては、非常に嫌忌され、種々の點で特殊扱を受けてゐるためか、その犯罪性についても、特別の關心を呼んでゐる。

ユダヤ人の犯罪性について、その數的位相は地方によつて若干相違するから、確定的且一義的に犯罪率が高いとか低いとかいふことは出來ない。しかし研究者達のうちには或る限られた地域におけるユダヤ人の犯罪率だけを見て、たゞちにユダヤ人の民族性にそれを結びつけようとする者もある。その誤謬なるは各地につき行はれた多數の研究結果を比照綜合すれば明白である。ユダヤ人の犯罪率には環境的因子の力が大きな意味を持つてゐる。この點はジプシーなどとは餘程趣を異にしてゐる。

ロンブローゾはユダヤ人の犯罪性について各國の統計はいづれもその低率なことを示してゐるといつてゐるが、これはもとより片面的考察に過ぎない。(1)尤もその報ずるところの數値はそれ自體としては十分意義のあることであるから、略記してみると、次の如くである。

バヴァーリア（Bavaria）ではユダヤ人一般人口三一五名につき一名の有罪者（宣告を受けた者）を出してゐるに過ぎないが、カトリック信者ではそれが二六五名につき一名の割となつてゐる。バーデン（Baden）では犯罪者出現率においてユダヤ人はキリスト敎徒一〇〇に對し六三・三の割合に過ぎない（この比率の根據は正確に報告されてゐないので、曖昧なるを免れないが、總體の敍述から見て、それは人口との比率において論ぜられてゐるものと解して置く）。ロンバルディア（Lombardia）では七年間にユダヤ人は二、八六五名につき一名の有罪者を出してゐるに過ぎない。イタリアでは一八五五年度におけるユダヤ人の囚人は僅に五名の男と二名の女とがあつたに過ぎなかつた。勿論これはカトリック敎徒の犯罪率より遙に低率である。またイタリアにおいては、セルヴィ（Servi）の調査したところによれば、一八六九年度に一七、八〇〇名のユダヤ人中僅に八名の有罪者を出したのみである。ところが、プロシアでは、ハウスネル（Hausner）の研究により、ユダヤ人の犯罪人は二、六〇〇名につき一名の割合であるに對し、キリスト教徒の犯罪人は二、八〇〇名につき一名の割合であることがあきらかにされた。こゝでは多少ユダヤ人の方が高率である。コルプ（Kolb）の研究も亦一部分これに照應する。すなはち、プロシアでは一八五九年に、ユダヤ人は二、七九三名につき一名、カトリック教徒は二、六四五名につき一名、プロテスタントは二、八二一名につき一名の割合で、各被告人を出してゐる。一八六二年乃至一八六五年の間についてみると、ユダヤ人の被告人は二、八〇〇名につき一名、プロテスタントの被告人は三、四〇〇名につき一名の割合で出てゐる。バヴァーリアではユダヤ人は三一五名につき被告人一名、カトリック教徒は二六五名につき被告人一名といふ割合になつてゐる。ノランスでは一八五〇年乃至一八六〇年の期間における年平均被告人數は、各人口十萬につきユダヤ人一一一名（成年者十萬につき七七・六名）、カトリック教徒一二二名（成年者十萬につき五八・四名）といふ數値が示されてゐる。(2)

これを要するに、ロンブローゾによつて綜説されたところでは、大體の傾向としては、ユダヤ人の犯罪率はカトリック教徒より低いが、プロテスタントよりは高いといふことになる。またカトリック教徒とプロテスタントとを一括し、キリスト教徒として、ユダヤ人に對照すると、後者は前者より犯罪率が低いといふことになる。このカトリック教徒の犯罪率高きことはアシャッフェンブルクもこれを強調せるところであつて、その原因は經濟狀態の惡いことにあると見られてゐる。(3)

犯罪現象そのものではないが、これと密接な關係ある現象として、私生子分娩率を參照してみると、ドイツではユダヤ人に不利な數字は見られない。ブレーズィッケ（Broesicke）の調査によれば、プロイセンにおける一八七五年から一九〇〇年までの私生子分娩率は、新教徒一〇・五四、カトリック教徒六・四八、ユダヤ教徒三・六〇の割合である(4)（恐らく單位人口に對する比率であらうと思はれるが、その點が審でない）。オーストリーについてはコレーズィ（Körösi）の研究があるが、それによると、私生子分娩者中カトリック教徒はその三七・八九%を占めるが、ユダヤ人は三・一%を占めるに過ぎず、ウィーンで一八七四年乃至一八七八年にユダヤ人一一・八%、新教徒二三・一%、カトリック教徒四四・二%の割合となつてゐるし、ロシアではギリシャ教會派三・〇六%、ユダヤ人〇・二三%、マホメット教徒〇・一六%を示してゐる。(5) このコレーズィの示す數値は各信教別の一般人口との比率をあきらかにしてゐないので、果してユダヤ人の犯罪率が低いのかどうかよくわからない憾はあるが、全部の敍述の位置からいへば、やはりユダヤ人のため不利なる事實を示すものではないと思はれる。

註（1）Lombroso, Le Crime, Causes et Remèdes, 12e. ed., 1907, p. 42.

（2）Lombroso, Op. cit., p. 43.
（3）Aschaffenburg, G., Das Verbrechen und seine Bekämpfung, 1923, S. 66.
（4）Aschaffenburg, Op. cit., S. 62 f.
（5）Aschaffenburg, Op. cit., S. 63.

二 オランダにおけるユダヤ人の犯罪傾向は、他の諸國のそれよりも一層よい事情にあるやうである。第四表に示す如く、オランダの犯罪統計（Criminele Statistiek, Jahrg. 1906.）の語るところによれば、ユダヤ人はカトリック教徒よりもまた新教徒よりも犯罪率が著しく低い。この表において、「比率」とは人口十萬に對する有罪者の數を示したものである。[1] この有罪者數といふのは、他の資料からみると、[2] 重罪、輕罪、違警罪（乞丐、浮浪など）、稅法違反の如きも含まれてゐると思はれる。

オランダにおけるユダヤ人は年々言渡される全有罪者中にその一%強を占めてゐるに過ぎない。一九〇〇年には一・三二%、一九〇一年には一・二一%、一九〇二年には一・三八%を示してゐる。

オランダにおけるユダヤ人は累犯率も亦甚だ低い。一例を一八九九年の國勢調査にとれば、各人口一萬につきキリスト教徒は有罪者二九・七八名で、そのうち累犯一一・六九名なるに對し、ユダヤ人は有罪一八・二八名で、そのうち累犯五・三九名に過ぎない（有罪者出現率が第四表のそれと若干相違してゐるのは、統計資料の相違に原因するものであらう）。すなはち、全有罪者に對する累犯者の割合

第四表

オランダの有罪者信教別

信教 / 年度	新教徒		舊教徒		ユダヤ教徒	
	實數	比率	實數	比率	實數	比率
1896	8,327	280.8	6,707	385.4	227	222.6
1897	8,683	289.4	7,003	397.9	245	238.7
1898	8,353	275.3	6,986	392.6	209	202.3
1899	8,428	274.7	6,699	372.4	165	158.7
1900	7,860	254.3	6,315	348.5	187	178.5
1901	8,514	271.3	7,051	383.2	184	173.0
1902	8,694	272.6	7,225	386.4	219	202.7
1903	8,371	258.4	6,774	356.7	199	181.3
1904	8,805	267.8	6,957	360.8	219	193.8
1905	8,315	249.2	6,492	331.9	177	156.5
1906	7,515	222.0	5,915	298.0	160	139.5

からいふと、キリスト教徒は三九・八%であるが、ユダヤ人は一九・三%である。かくの如くユダヤ人に累犯者の少い理由につきホッペ(Hoppe)は、慣習犯人において重大な役割を持つ飲酒傾向がユダヤ人には甚しくないからであると説明してゐる。(4)

フランスでもユダヤ人の犯罪率は低い。ルッピン(Ruppin)の研究によれば、一八九七年フランスの有罪者中キリスト教徒は一四、二三四名(全キリスト教徒の三・七三%)なるに對し、ユダヤ人は二二三名(全ユダヤ人の二・五七%)に過ぎない。(5)

なほフランスについては、一九〇一年の入監者六、八〇五名（このうち男六、〇九七名、女七〇八名）の種族別が判明してゐるが、それによると、ユダヤ人はこのうちに僅二三名（男のみ）しか含まれてゐない。これは全入監者の〇・三八％に相當し、一般ユダヤ人人口の〇・二六％を形成するに過ぎない。同年强制敎育の宣告を受けた少年の數についてみても、全數四、二五八名（男三、五六八名、女六九〇名）中ユダヤ人は六名（男女各三名）あつたに過ぎぬ。すなはち被宣告者全員の〇・一四％に當つてゐる。[(6)]

アフリカのアルジェリー（Algerie）についてもルッピンは一八九七年キリスト敎徒の有罪者八〇四名（全キリスト敎徒の二・五三％）に對し、ユダヤ人有罪者は僅に三四名（全ユダヤ人の〇・七％）に過ぎぬと報じてゐる。[(7)]

アメリカのユダヤ人犯罪もオランダのそれと似た特徴を持つてゐる。ジャコブス（J. Jacobs）の報ずるところによれば、或年度のアメリカ某地におけるユダヤ人在監人は五五九名で、これは全在監人の六・五％に過ぎず、殊に女性犯人はこのうち七五名を算するに止まる。然るにアメリカの移住民中に含まれるユダヤ人の數はその一〇％に相當するのであるから、ユダヤ人は一般人口から期待されるほどの犯罪人を出してゐないことになる。またその犯すところの罪を重罪と輕罪とに分けて調べてみると、ユダヤ人は全移住民一般に比し重罪に關與する割合が少い。それは第五表に示す如くである。

第五表

アメリカのユダヤ人在監人

民族・罪質	ユダヤ人		全移住民	
	實數	%	實數	%
重罪	170	28.3	4,124	41.98
輕罪	389	71.7	5,701	58.02
計	559	100.0	9,825	100.0

同じやうな數値はいくつもある。ニューヨーク市では一八九八年においてロシアからの移住民は全移住民人口の一一・二%であつたが、犯罪人中に含まれるロシア移住民の割合はこれよりも少く、八・二%に過ぎない。(8) このロシアからの移住民といふのは大體ユダヤ人なのであつて、この數値は後に述べるロシア本國におけるユダヤ人の犯罪率の高率なことと對照すると甚だ興味がある。ロシア本國においてユダヤ人が高い犯罪率を示してゐるに拘らず、アメリカに渡つたロシア系ユダヤ人がかくの如く低い犯罪率しか示さないといふことは、結局ロシア本國におけるユダヤ人の犯罪率の高いことはその民族の遺傳的な性格に由來するものでないといふことを一應推定させるに足る事實である。

フィラデルフィアで一九〇四年に、ユダヤ人は一般人口中においてはその七・七%に及んでゐたが、在監人のうちでは二・七%を占めるに過ぎなかつた。ボストンでも同様であつて、それは在監人についても、有罪宣告を受けた人員についても、矯正所收容者についても、ユダヤ人の犯罪者の含まれる數は一般人口中にユダヤ人の含まれてゐる數よりもよほど少い。(9)

スイスでは、一八九二年乃至一八九六年の間の事情によれば、ユダヤ人は一般人口中に〇・三%を占めてゐるが、これは在監人についても全く同率で、〇・三%である。人口一萬についての數値をみると、全國民については九・八人、ユダヤ人については九・九人であるから、これ亦有意味の差異あるものとなつてゐない。(10)

ロシアについては一八九七年の國勢調査當時の事情を示すものとして第六表を參照することが出來るが、これによると、當時のロシアの人口を構成する四民族（正確にいふと「民族」といへないものも含まれてゐる。）の各〻につきその犯罪率が知られる。すなはち、ユダヤ人はポーランド系に次いで犯罪率が高い。(11) ワインベルク（Weinberg）等は、ロシアにおけるユダヤ人の經濟狀態が甚だ不良で、生活の困難であることが犯罪の溫床をなしてゐるものと見てゐる。(12) しかし、ロシアにおけるユダヤ人の犯罪率については、やはりキリスト教徒より低率なることを主張する論者もあつて、(13)(14) 若干の疑問を殘してゐる。

これを要約すれば、大體の傾向としては、俗信に反して、ユダヤ人は一般に犯罪性が低いといへさ

第六表

ロシアにおける在監人の種別

民族 ＼ 被告人數	實數		人口萬に付比率	
	男	女	男	女
ロシア系	57,422	6,556	19	2
ポーランド系	6,432	1,368	23	5
レット•リトアニア系	1,986	300	17	2
ユダヤ系	3,907	413	22	2

第七表

各國におけるユダヤ人の犯罪率

國 ＼ 民族	年平均年度	實數		人口十萬に對する比率	
		ユダヤ人	その他	ユダヤ人	その他
オランダ	1896—1900	207	15,239	199	305
〃	1902	209	14,917	201	298.3
ロシア	1875—85	—	—	259	426
〃	1897	3,907	—	240	(ロ： 2[illegible])
〃	1872—73	—	—	394	—
オーストリー	1896—98	2,243	35,800	183	143
〃	1900—01	—	—	重罪：[illegible]7.4 輕罪：00.6 208	134.8 29.2 164
ハンガリーとフインランド	1896—98	4,734	87,715	556	477
ドイツ	1899—1900	4,464	464,376	761	833
〃	1899—1902	4,628	479,552	788.7	860.0
クロアチアとスロヴォニエン	1897—1901	33	29,96	165	126

うである。しかしユダヤ人の犯罪問題に關して精到な研究業績を殘したワッセルマン（Wassermann）のやうな學者が、クロアチア、オーストリー、ハンガリー等においてユダヤ人の犯罪率の高きことを實證して（第七表）、ユダヤ人の犯罪率低しとの結論を導くことを躊躇してゐる。[15] 彼の立場では勿論これによつて、遺傳的素質としての犯罪性といふものをそこに見ようとする論者に反對してゐるのである。この意味においてたしかに結論を容易に導くことは許されない。しかしユダヤ人が一般に西洋諸國で嫌はれてゐるところから、簡單にユダヤ人の犯罪性が高いものと卽斷すべからざることは、以上の事實を以て旣にあきらかである。むしろ現象的事實としては、多くの國においてユダヤ人の犯罪率が概して低いものであることを知らなければならない。

註（1）Roos, J. R. B. de, Über die Kriminalität der Juden. Mon. f. Kriminalpsychol., 1909, 6. Jg. S. 193.
（2）Wassermann, R., Beruf, Konfession und Verbrechen, 1907. S. 19.
（3）同　上
（4）Wassermann, Op. cit., S. 20.
（5）Wassermann, Op. cit., S. 13.
（6）同　上
（7）同　上

(8) Wassermann, Op. cit., S. 21 f.
(9) Wassermann, Op. cit., S. 22.
(10) Wassermann, Op. cit., S. 12.
(11) Weinberg, R., Psychische Degeneration, Kriminalität und Rasse. Mon. f. Kriminalpsychol., 1906, 2. Jg., S. 721.
(12) たとへば Weinberg, Op. cit., S. 723.
(13) Roos, Op. cit., S. 194.
(14) Wassermann, Op. cit., S. II.
(15) 同　上

三　ユダヤ人の犯罪を罪質別に考察してみると、犯罪の種類によつて大きな相違の存することを知る。まづリスト（F. v. Liszt）の記述に従つて述べると次の如くである。すなはち一八九二年乃至一九〇一年の間のキリスト教徒の犯罪率の年平均を一〇〇とすれば、ユダヤ人は利欲犯（der Strafbare Eigennutz）につき一、四〇〇（キリスト教徒の一四倍に相當する）、高利貸罪につき一、三〇〇、著作權侵害罪につき一、一〇〇、詐欺破産罪につき八九〇、禁止作業における兒女使役罪につき七三〇、日曜日不休罪につき六八〇、破産罪・競馬罪につき六八〇、獸疫法違反につき五八〇、累犯贓物罪につき四九〇、食料品僞造罪につき四七〇、職業的および常習的贓物罪につき四〇〇、決鬪罪につき三六〇、文書毀棄罪につき三四〇、祕密侵害罪につき三三〇、といふやうな數値が見られ、これらの諸罪についてはユダヤ人は甚だ高率であるといふことになる。然るにユダヤ人に少い犯罪では、重傷害三三、重竊盜三三、公務員に對する暴行脅迫三〇、單純累犯竊盜二四、器物毀棄二四、國權に對する反抗二三、重き累犯竊盜二二、近親相姦二一、强盜およびこれに近き恐喝二一、過失鐵道危害二〇、放火一八、重傷害一六、囚人を逃走せしむる罪一三、獵漁關係の罪二・九、謀反は一〇年間絶無といふ數値が見られる。このほか謀殺、囑託殺人、嬰兒殺、幼兒遺棄、毆打、毒害、略取、誘拐、鐵道輸送危害、賄賂、爆發物取締法違反等の犯罪は全然現れてゐない。ユダヤ人の犯罪におけるこれらの罪質的特徴は、彼等の職業生活における特質とあきらかに結びついてゐること[1]がわかる。一言にしていへば、ユダヤ人の犯罪は利欲的な犯罪が多く、粗暴的な犯罪が少い。財産犯のうちでも勞力を要するものよりはむしろ智力を要するやうな犯罪において多くの役割を演じてゐるといつてよからう。なほほゞ同旨の研究結果を諸所に見出すことが出來る。

ワッセルマンによつても、ユダヤ人には公然猥褻、猥褻圖書頒布、侮辱、詐欺、贓物、税法違反等の犯罪が高率に現れ、これに反して、國權に對する反抗、傷害、竊盜、强盜、毀棄、乞丐、浮浪等の諸罪は低率にしか見られないといふ。[2]

ドイツにおけるユダヤ人の犯罪につき、グロースによつて若干補言すれば、ユダヤ人にして有罪宣告を受けるのは、多く日曜日を休まないといふ極めて無害な違反行爲によるものである。またユダヤ人が猥褻圖書頒布の廉で罰せられるのは、彼等が出版業に携はることが多いのに原因の一半を有する。姦通罪や誘拐罪の如きは、ユダヤ人に對しては被害者が用捨なく告訴するので、報告に現れる犯罪率が高められるのであらう。決鬪罪がユダヤ人に多いやうに統計上現れてゐるのは、ユダヤ人は危險に曝された地位にあるといふことも一因ではあらうが、他面キリスト教徒は豫備役將校として、その決鬪事犯の如きも、軍律の支配下にあることが多いので、通常の犯罪統計に算入されない結果となつてゐるが、ユダヤ人にはこのやうな事情がないため、通常の犯罪統計の上では、キリスト教徒よりもユダヤ人の決鬪事犯が甚しく多いやうに現れてゐるのである(3)。このことは一九〇七年頃の事情なのであつて、今もさうであるといふのではない。當時の犯罪統計上の數値を解釋するに役立つ補說として引合に出しておかう。

オランダにおいても、ユダヤ人は粗暴犯や竊盜罪の如きにおいて低率であり、詐欺、橫領、僞證等において高率である。ロースの研究に從つて、オランダにおけるユダヤ人犯罪の罪名別による考察を加へると、次の如くである。

（二） 公務執行妨害ではユダヤ人はキリスト敎徒より犯罪率が低い。一九〇一年乃至一九〇五年における各人口十萬に對する本罪の年平均犯罪人數は、キリスト敎徒二〇・七名に對してユダヤ人八・四名である。これは主として警察官に對する妨害行爲によるのであるが、かくユダヤ人の犯罪率低きことを說明して、ロースはユダヤ人が本來のオランダ民族のやうな自由尊重の念を持たないから、容易に官權に服するのだと說明し、これについては政治史上の例證をも擧げることが出來るといつてゐる。またユダヤ人が一般に暴力を用ゐることが少いといふことも本罪を少からしめる理由の一つであると見てゐる。なほ同年度內諸罪を見るに、各人口十萬に對する比率は、輕傷害ではユダヤ人三七・七名なるに對し、キリスト敎徒六六・八名、重傷害および殺人ではユダヤ人〇・五名なるに對し、キリスト敎徒一・七名、毀棄ではユダヤ人三・六名なるに對し、キリスト敎徒一五・三名といふ數値を示し、所謂體力を要する種類の犯罪においてはユダヤ人は常に低い犯罪率を示してゐる。然るに侮辱罪の如く體力的でない犯罪においてはユダヤ人一五・一名に對してキリスト敎徒五・二名といふ關係になるのであつて、ユダヤ人の方が却つて高率になつてゐる。そこで體力的な行爲とさうでないものとが雙方含まれてゐる「警察官その他の公務員に對する侮辱暴行の罪」をとつてみると、侮辱といふ點ではユダヤ人が高率であり、暴行といふ點ではキリスト敎徒が高率であるため、結局本罪全體としてはユダヤ人八・七名、キリスト教徒八・九名となつて、兩者相伯仲してゐることも甚だ面白い。(二二)眼を財産犯に轉ずるに、竊盜でもユダヤ人は犯罪率が低い。殊に大都市を根城とする竊盜は頗る低率である。單純竊盜ではユダヤ人一七・五名に對し、キリスト教徒三三・三名、重竊盜ではユダヤ人一一・四名に對してキリスト教徒一六・八名、林野盜ではユダヤ人〇・七名に對してキリスト教徒一二・八名といふ數値になつてゐるから、竊盜罪は、そのすべての種類に亙り、ユダヤ人の犯罪率低き罪名に屬するといふことになる。然るに、同じく財産犯であつても、智能的な性質を帶びたものにおいてはこの關係は全く逆轉する。橫領ではユダヤ人六・〇名に對してキリスト教徒三・八名、業務上橫領ではユダヤ人四・二名に對してキリスト教徒二・二名、詐欺ではユダヤ人三・一名に對してキリスト教徒二・一名となつてゐる。さらに贓物罪に至つてはユダヤ人六・六名に對してキリスト教徒一・九名を示し、その間殊に大なる相違があるのであるが、この贓物罪の特に高率なのはユダヤ人の職業が商業に偏してゐるといふ關係にその原因の一半を歸すべきであらう。詐欺の高率なことは各國のユダヤ人に共通に見られる現象であり、ユダヤ人が好んで欺罔虛構的手段を採ることが一つの特色をなしてゐる。これは文書僞造においてユダヤ人一・六名に對してキリスト教徒〇・八名であり、僞證においてユダヤ人一・一名に對してキリスト教徒〇・七名であるといふ對照的事實においてもあきらかに現れてゐることである。

（三）最後に、性的犯罪についてみるに、强姦、幼兒に對する猥褻等の重い犯罪においてはユダヤ人○・九名に對してキリスト教徒二・四名でユダヤ人はあきらかに低率であるが、公然猥褻の如き輕微な性的犯罪においてはユダヤ人二・○名に對してキリスト教徒二・一名で、兩者は兄たり難く弟たり難い有樣である。然るに、曩にも言及した如く猥褻圖書頒布ではユダヤ人がはるかに高率であつて、ユダヤ人二・二名に對してキリスト教徒は僅に○・○五名に過ぎない。ゆゑにユダヤ人は性的犯罪の方面においても、直接に倒錯行爲に及ぶこと比較的少く、間接に圖書頒布等の行爲によつて財物的利益を收めんとする傾向にあることがわかる。實に彼等は社會的行動においても、反社會的行動においても、等しく利欲的傾向の著しきことを示してゐる。(4)

オーストリーのユダヤ人犯罪の罪質については、ルッピンがそれは全くドイツやオランダのそれと符節を合するが如くであることを述べた末、「ユダヤ人は理性により、キリスト教徒は手によつて罪を犯す」と、極めて味はふべき要約を以てその特徴をあきらかにしてゐる。(5) この國については、罪名別を前記兩類似國について述べた以上、重ねてそれを記す必要はないであらう。罪名別に關する限り、オーストリーのユダヤ人犯罪はそれほどよく前述の兩國における現象に似てゐるのである。

ロシアのユダヤ人も高利貸、僞造等を多く犯すことは、他の國のそれと同樣であるが、やゝ特色のあるのは密輸事件や婦女をトルコへ移送する事件の多いことである。(6) これももつと高次の犯罪概念から見れば、結局一種の利欲犯と解せられるから、ユダヤ人の犯罪一般の利欲犯的特性にとつて何等例外をなすものではない。またコヴァレヴスキー（Kovalevsky）はロシアのユダヤ人につき行政法規違反が目立つて多く、殊に欺罔手段に訴へて旅行免状の下附を受ける罪の多いことを指摘してゐるが、これは彼等の滞在期間につき著しい制限が付せられてゐるがためであるといふ。浮浪者の多いことも亦彼の摘示するところである。(7)

これら諸國におけるユダヤ人の犯罪をその罪名に即して綜合的に考察してみると、その國籍の如何を超越したところの顯著な共通性が認められる。犯罪率には大いに相違があるけれども、その犯し易い犯罪と、比較的陥ること少き犯罪とは各國とも酷似してゐるのである。すなはち、ユダヤ人は暴力犯よりは利欲犯に傾き、體力的な犯罪よりは智力的な犯罪を犯すといふ特徴を有する。この點頗る鮮明なる民族性を犯罪の面において示すものといはなければならない。その優れたる智能と厭ふべき貪欲とは犯罪現象においても亦結合してゐるのである。

註（1）Liszt, F. v., Das Problem der Kriminalität der Juden. Festschrift für die Juristische Fakultät in Gieszen zum Universität-Jubiläum, (hgb. v. R. Frank), 1907. S. 372 f.

（2）Wassermann, Op. cit., S. 21.
（3）Gross, H., Kriminalstatistische Vergleiche. Arch. f. Krim., 1907, Bd. 27, S. 189 f.
（4）Roos, Op. cit., S. 194ff.
（5）Roos, Op. cit., S. 197.
（6）Lombroso, Op. cit., p. 44.
（7）Kovalevsky, La Psychologie Criminelle, 1903, Pp. 21.

四　序に觸れて置くべきはユダヤ人の「儀式殺人」（Ritualmord）といふことである。既にあきらかにされたやうに、ユダヤ人は殺人罪の如き暴力犯を犯すことが甚だ少い。然るに、ドイツなどではユダヤ人の弊習として、宗教的儀式のために人血を必要とするため、殺人が往々行はれると信ぜられてゐる向もある。その俗信によれば、清淨な血液、殊に處女や幼兒の血液がそのために必要とされ、それを神聖なものとして食用に供するのであつて、そのためには、人を殺すことも亦可なりとすることが、ユダヤ教の教義上許されてゐるといはれてゐる。然るに、ユダヤ人側ではこれを否定し、却つて血液を弄ぶことは古くから禁ぜられ、また屢〻宗教上の禁令も出てゐるのであるから、これに牴觸しないやうに一種の儀式を行ひ、その場合に獸血を採取するのだといふ。さうして紀元前一世紀頃アレキサンドリアの人アピオンが「ユダヤ人は毎年一異教徒を屠り、その人血を宗教儀式に用ゐる」と記してゐるのは、聖書の禁令に對する無知に由來するもので、それが後世に流布した結果、キリスト教徒の間に儀式殺人の俗信を生むに至つたのだといはれる。(1) わが菅原教授の解明されるところによれば、この儀式殺人なるものは、最初古代ローマ時代にキリスト教徒が非難されたことがらなのであつたが、その後キリスト教徒が勢力を得るに及んで、殊に十二世紀頃になると、この非難の對象をユダヤ人に轉嫁させてしまつた。かくて中世から近世になつてもユダヤ人はキリスト教徒の子供を殺して、その血をパンや葡萄酒に混じて食用にするといはれるやうになり、それがユダヤ人迫害の具に供せられるに至つたものであると。(2)

キリスト教徒におけるこの俗信は相當顯著なものであるらしく、實際儀式殺人の行はれた事件を報じた例は聞かないに拘らず、民衆がこの俗信から儀式殺人事件が惹起されたと誤信し、後に至つてそれが全くの誤信であつて、被害者と目された兒童が生存してゐることの判明した事例もいくつか報告されてゐる。(8) どうも儀式殺人が頻發するといふやうなことは否定せねばなるまい。ユダヤ民族の習性に關聯してかゝる迷信的犯行を特色と見ることは出來ない。それは丁度ジプシーにおいて幼兒略取の風ありと誤信されてゐるのと同樣である。

註 (1) 菅原憲「獨逸に於ける猶太人問題の研究」、昭和一六年、三四頁以下。

（2）菅原憲、同書、三五頁。

（3）Hellwig, A., Unsinnige Blutmordgerichte. Arch. f. Krim., 1908, Bd. 31, S. 88 ff.

五　ユダヤ人の犯罪性にはその罪質においてほゞ恒常的な特色が認められる。そのことは既に詳しく述べた通りである。しかし犯罪率の高低については必ずしも各國その一致を見てゐない。就中ロシアが例外的な代表的事態を示してゐる。しかし、概略的にいへば、多くの場合ユダヤ人の犯罪率は低い。その犯罪率および罪質の兩者に亙つてのユダヤ人の犯罪性における特色は何に由來するか。犯罪も亦遺傳的素質と環境的影響との複合的産物であるから、その原因はもとより簡單に一、二のものに歸せらるべきでないが、ユダヤ人犯罪の研究者等の指摘する事項を拾つてみると、經濟狀態、職業關係、飲酒傾向、智能ならびに教養に密接な關係がある。

ドイツ、オランダ、アメリカのやうに、ユダヤ人がその國において經濟的に惠まれた立場にあるものにおいては、犯罪率も低いが、これに反してロシアやオーストリーのやうに、ユダヤ人の經濟狀態の惡い土地においては、おのづからその犯罪率が高くなつてゐる。從つてかくの如き犯罪率の高低といふことは、ユダヤ人の遺傳的な本性によるよりも、むしろ經濟的な外因に負ふところ大なりといはなければならない。リストはドイツにおける一八八二年から一九〇一年までの二〇年間の犯罪率を調べ、

第八表

ドイツにおけるユダヤ人の職業別人口構成（1895年）

職業	全人口(%)	ユダヤ人人口(%)
農	34.19	1.38
工	34.15	18.80
商	9.64	54.16
獨立無職	8.84	16.30
公務	—	—
自由	5.88	5.99
家事	5.52	2.61
勞働	1.78	0.36

ユダヤ人の犯罪率が經濟的不況時代（一八八九年から一八九五年まで）において特に甚しく高率に出現してゐるといふ事實をあきらかにした。(1) かういふことからみても、ユダヤ人の犯罪が經濟事情に大きな關係を有することを窺知ることが出來るのである。

職業關係が犯罪率や罪質を左右し易いことは極めて明白な事實であつて、ユダヤ人の犯罪がその罪質と密接な關聯を有することも、既に出版業と猥褻圖書頒布罪、商業と各種財産犯ならびに高利貸、密輸出入等の犯罪と深い關係のあることなどから見ても當然である。一例を一八九五年のドイツの統計にとれば、一般人口における職業分配の狀況は、全人口におけるとユダヤ人におけるとにより著しく相違してゐる。第八表に見る如く、全人口は主として農工を以て構成されてゐるに對し、ユダヤ人の人口構成においては、農工殊に農が甚しく少く、商のみが半數以上を占めてゐる(2)。商業に從事する者がかくの如く多いといふことは、ユダヤ人の犯罪における利欲性、智能性を特徴づけるには大いに役立つてゐるであらう。しかしこゝに注目に値する事實をも見ざるを得ない。それは、本來犯罪率高き職業たる商業に屬する者が甚だ多く、しかも本來極めて犯罪率の低かるべき職業たる農業に從事する者が著しく少いのであるから、それだけからいへば、ユダヤ人の犯罪は當然高率なるべきが期待される筈なるに拘らず、現にユダヤ人の犯罪殊にこの數値の基礎たるドイツのユダヤ人犯罪が却つて低率であるといふことである。惟ふに、犯罪原因としての職業關係は、犯罪の種類を決定するにつき至大の關係があるが、その數を決定するについては經濟狀態ほど支配的な意味を持ち得ないのであらう。この推論に對して最も有力な支柱となるのは、同一業者の集團內における地位關係に關する事實である。リストの報告に準據して前同一資料によりこの地位關係を見るに、農工商の三者の合算數において、總人口中獨立業者は二八・九四％、使用人は三・二九％、勞働者は六七・七七％となるに對し、ユダヤ人集團においては獨立業者五七・六一％、使用人一一・二九％、勞働者三一・一〇％であつて(3)、あきらかにユダヤ人の社會的地位は、全人口構成における地位分配の割合に比し、甚しく優位にあるのを知る。この地位における優位は、殊にそれが農工商に關するものである以上、當然に經濟的優位そのものに對應する。ドイツなどのユダヤ人が本來犯罪率の高かるべき商業に關與すること多きに拘らず、その犯罪率が全體として低いのは、恐らくはこのやうな經濟狀態の優越に職由するものであらう。

ユダヤ人は酒を甚しく節してゐる。飲酒が犯罪と積極的相關あることはあまりにも著名なことである。その飲酒といふことにおいて、ユダヤ人は特に節制であるといふ。ルッピンはユダヤ人を「生來性の節制家」(der geborene Temperenzler) と呼んでゐるくらゐである。(4) これは彼等の犯罪率を低からしめるにたしかに大きな原因をなしてゐるであらう。殊に暴力犯の少いことにはこのことが大いに役立つてゐると考へるのが自然である。いかにこれらの暴力犯が酒精の影響を受けてゐるかについては、ロースがオランダにおける一九〇五年度の犯罪につき適切な證左を擧げてゐる。すなはち、有罪宣告を受けた輕傷害中四〇%、重傷害および生命に關する罪のうち五一%、毀棄のうち五二%、公務執行妨害のうち六四%がいづれも酒精の作用下において行はれたのである。他面においても浮浪、乞丐の如き常時飲酒傾向を有する者の陷易い種類の犯罪（その五九%は常時飲酒者である）にはユダヤ人はあまり關與してゐない。(5)

最後にユダヤ人の智能ならびに教養が優れてゐるといふことは、犯罪を少からしめる一因となつてゐるとの見解も亦理由あることである。智能と教養とが犯罪率に對して一般に抑制的に作用することは顯著な事實である。彼等の勤勉、節儉、順應力等もこれに關聯して高く評價さるべきである。(6)

註 (1) Liszt, Op. cit., S. 372.
(2) Liszt, Op. cit., S. 374.
(3) Liszt, Op. cit., S. 375.
(4) Roos, Op. cit., S. 201, Anm. 2.
(5) Roos, Op. cit., S. 201.
(6) 同 上

第五章　諸國民の犯罪性

一　國籍の如何が直ちに民族の異同を示すものでないのはいふまでもない。しかし、たとへば日本國民のやうに、大體においてそのまゝ單一の民族で構成してゐるのもある。たとへそれほどでないにしても、或る國民の國民性といふことがいへるくらゐに、或る程度までその國民の性格がはつきりした一致性を形成して來てゐれば、それはよほど民族といふ概念に近づいてゐるのである。この意味において、諸國民の比較は必ずしもたゞちに諸民族の比較となるわけではないが、おほよその各國民の主要素をなしてゐるところの民族を比較することになるのである。

諸國民の犯罪性を比較するに當つて、各國の犯罪統計を互に比較することが、もし科學的に正しい方法であるとすれば、頗る便利なのであるが、それは到底たゞちに比較し得べき資料ではない。各國はそれぞれその法制を異にし、現實の捜査裁判の手續にも大きな相違を持つ。殊に各國の犯罪統計は犯罪發生の件數によつて詳細な構成をなすにあらずして、その有罪宣告件數を基礎として、細部の報告を作つてゐるから、一層その統計は人爲的な手續によつて變容されたものとなつてゐる。甲國において犯罪とされるものも乙國においては必ずしも犯罪とはされないし、丙國において起訴されるものも必ずしも丁國においても起訴されるとは限らない。從つて或る國の犯罪率をたゞちに他の國のそれに比較することは、犯罪現象そのものの比較にはならない。それはむしろ捜査裁判上の取扱の比較といふ形になつてくる。そこで、諸國民の犯罪性を比較しようとする場合、少くともその大量的位相における考察を行ふには、ほゞ同一の法制と同一の手續のもとにある諸國民を比較するのでなければならない。たとへば日本なら日本にゐる諸外國人を比較するといふ方法をとるのがよい。さうすれば日本の同一の法制下において同一の手續のもとに行はれた各國民の犯罪率が相互に比較され得ることになる。この場合、その國の事件處理方針がどこの國の國民に對しても平等公平に行はれる場合に限るのは敢て論を俟たない。ところが、そのやうな資料は甚だ限られてゐる。ベルジック、イングランドおよびウェールズ、スコットランド、カナダ、フィンランド、リトアニア、オランダ、ポーランド、ポルトガル、ルーマニア、スウェーデン、チェッコスロヴァキア等の諸國でも外國人の犯罪についての數値に關する報告を缺いてゐるやうである。(1) のみならず、その他の諸國の事情についても今十分に資料を手許に取寄せる方法がない。こゝではたゞ甚だ乏しい文獻を手掛として、諸國民の犯罪性の一端を窺ひ視ることにする。

こゝで注意しなければならないのは、この種の資料にも亦避くべからざる缺點のあることである。それは他の國に滯在する或る國の國民が必ずしもその國の國民の適當なる代表ではないといふことである。一般に外國移住者は、その大部分が移民といはれる種類のもので、あまり犯罪率の低くないのを通例とする。(2) 尤もこれには有力な反對もあるが、(3) 大體において移住民は土著民よりも高い犯罪率を示す傾向がある。(4) この點からいつても、まづ本國にゐる國民の犯罪率は、在外國民の犯罪率よりも若干割引して考へてもよいわけである。そればかりでなく、罪質の上においても相違があるかも知れない。しかし本國にもあり、在外國民にもあるやうな傾向はほゞその國民本有のものと見て大過なしとせねばならぬ。また或る國民が世界の各地においてほゞ同じやうな傾向を示してゐるとすれば、それもかなりはつきりした國民性と解してよいであらう。しかしこゝに利用し得る文獻資料はそれほど豐富でないから、二、三の國民以外については或る一地方における犯罪事情だけしかわからないのを遺憾とする。要は以上の事項を念頭において解釋を行ふにある。

註（1）Roesener, E., Ausländer: Eltser, A., und Lingemann, H., Handwörterbuch der Kriminologie, 1933, Bd. 2, S. 95.

（2）たとへば Finkey, F., Mon. f. Kriminalpsy., 1929, Jg. 20, S. 695. における Hacker, E., Kriminalitásés bevándorlás, 1929. の紹介文。この事項については文獻も少くないが、その詳細は本書第二篇九一頁以下「移住民の犯罪性」參照。

（3）Sutherland, E. H., Criminology, 5th. imp., 1924, p. 99.

（4）植松「犯罪現象より見たる臺灣在住民の族系的差異」、前掲五八頁（本書第四篇一八一頁）によれば、臺灣においても支那人の犯罪は格段の高率を示してゐる。なほ著者未發表の調査によれば、朝鮮における支那人亦著しく高き犯罪率を示してゐるのである。

二　ドイツにおける諸國民の犯罪率を示すものとして第九表を掲げる。[1] 本表中「一般人口」は一九二五年六月一六日現在の状況を示し、「有罪者」とあるのは一九二六年中に有罪宣告を受けた者の員數を表し、「比率」は右一般人口千に對する有罪者の割合を示すものである。また「A群」とあるのは當時ドイツに滯在せる者二萬を超える國の國民を意味し、「B群」とあるのは同じくその數二萬以下一千以上の少數なる國民を示したものである。この資料によつて、ドイツにおける諸國民の犯罪率を比

第九表

ドイツにおける諸國民の犯罪率

(＊印あるものは植民地をも含む)

種	別	一般人口	有罪者	比率
外國人總數		957,096	13,558	14.2
A群	ポーランド人	259,804	5,674	21.8
	チェッコスロヴァキア人	222,521	3,929	17.7
	オーストリー人	128,859	896	6.9
	オランダ人*	82,278	272	3.3
	ロシア人	47,173	688	14.6
	スイス人	42,432	195	4.6
	イタリア人*	24,228	178	7.3
B群	ハンガリー人	16,139	225	13.9
	ユーゴスラビヤ人	14,067	104	7.4
	フランス人*	7,290	246	33.7
	デンマルク人	7,177	36	5.0
	アメリカ人	6,950	36	5.2
	ベルギー人	6,927	47	6.8
	ルーマニア人	6,485	165	25.4
	イギリス人	6,433	52	8.0
	ダンツィッヒ市民	6,093	48	7.9
	スウェーデン人	5,175	38	7.3
	リトアニア人	5,167	154	29.8
	レットランド人	4,687	61	13.0
	ルクセンブルク人	2,578	23	8.9
	トルコ人	2,472	40	16.2
	ギリシャ人	2,248	37	16.5
	ブルガリア人	2,027	30	14.8
	エストランド人	1,496	23	15.4
	エスパニャ人	1,426	26	18.2

較してみると、A群ではポーランド人、チェッコスロヴァキア人、ロシア人等が著しく高率であり、スイス人、オランダ人等は甚だ低率である。イタリア人も他の諸國におけるイタリア人の犯罪率に比較すると、ドイツにおいては例外的によい狀態のもとにあることがわかる。一九二六年におけるドイツ本國人の犯罪率（前同樣の基礎による比率）は九・五であるから、本表に示された諸國民の犯罪率はイタリア人すらドイツ本國人のそれよりも低いことになつてゐる。これは後に示す他の資料と比照すると、甚しい例外的な現象であると見なければならない。恐らくはドイツにおけるイタリア人には、何か特別に犯罪抑壓的に作用すべき好條件が具はつてゐるものであらうが、著者はいまそれを解明すべき證據を持たない。

次に、B群においてはフランス人、リトアニア人、ルーマニア人、エスパニャ人、ギリシャ人、トルコ人、エストランド人、ブルガリア人、レットランド人等がこの順序に從ひ、いづれも著しく高き犯罪率を示し、これに反して低い犯罪率に止まるものはデンマルク人を最低として、アメリカ人、ベルギー人、スウェーデン人等である。イギリス人もこれらに準じて低率である。こゝで一言斷つておかなければならないのは、イギリス人およびアメリカ人にして當時ドイツに滯在してゐた者は上流中流の者が多いといふことである。(3) 從つてその犯罪率の低いのはむしろ當然といふべきであるが、他の諸國民については、かやうな特殊事情を審にしないので、ドイツに滞在せる他の諸國民が果して正當にその母國民を代表する集團であるといへるかどうかよくわからないのを遺憾とする。この點は、曩に斷つたやうに、すべてこの種の資料に伴ふ缺點であつて、解釋上において補正するほかはないが、しかもその補正に必要な資料も亦今のところ十分であるとはいへない。しかし、得られる限りの各地における資料を比照してみると、一つの國民に屬する者は土地を異にするものにおいても、多くはその間に大なる逕庭を見ない。たゞ前記の如く、こゝに現れたイタリア人は、他の各地に在る同國人に比し甚しき例外と見るべく、ドイツ人もドイツ本國における右の如き犯罪率に比して、他の各地に在る者は優良な狀態にあることが知られる。その詳細は左に述べる如くである。

ハンガリー國に一九三〇年代に在住せる諸國民の犯罪率は、前にジプシーの犯罪率を示すために掲げた第三表によつて知ることが出來る。これによれば、ドイツ人最も低く、スロヴァキヤ人これに次ぎ、セルビヤ人、ハンガリー人等が比較的高い。

ロシアにおける一八九七年の狀況が曩に掲げた第六表に示されてゐるが、これによると、當時におけるロシアの四大民族中ポーランド人がユダヤ人に次いで犯罪率の高いことが眼立つ。殊に女性犯罪人が多いことと他の諸族とは格段の相違である。詳しくこの民族の風習を知るにおいては、この點など

第一〇表
フランス某縣における外國人の犯罪數

種別＼年度	1926	1927	1928
ドイツ人	3	3	4
イタリア人	61	70	64
ベルギー人	15	12	7
エスパニヤ人	20	20	19
スイス人	8	6	6
ロシア人	13	3	8
モロッコ人及カビール人	42	24	21
イングランド人	3	4	—
ポーランド人	28	52	29

も解明し得るかも知れないが、今は机上調査の限度を守り、たゞ事實を指摘するに止めておく。

フランスにおける事情として、一九二六年乃至一九二八年同國諸重罪裁判所(Cours d'assiscs)における有罪宣告人員を見ると、第一〇表の如くである。(4) こゝでもポーランド人の犯罪率は著しく高く、ドイツ人はイングランド人とともに最低の犯罪率を示してゐる。ポーランド人より高率な民族としてはイタリア人あるのみである。イタリア人は後に述べる如く、世界各地どこへ行つても大抵高き犯罪率を示す國民であるが、ポーランド人は本表においてその次位を占めてゐるのである。ポーランド人と年度により第二位を爭つてゐるのは「モロッコ人およびカビール人」であるが、これは文化段階において著しく低位にあるものであるから、これをヨーロッパの諸民族と同日に談ずべきでない。ポーランド人がヨーロッパの北部に位置し、その所屬國民中に北方種族を多く含みながら、(5) かく高き犯罪率を示してゐることは多少奇異を感ぜしめぬこともないが、それは東ヨーロッパとして一括さるべきものかと思ふ。エスパニャ人も犯罪率が高い。文化的な民族としてはポーランド人の次順位にある。これはイタリア人と共に南ヨーロッパを占める民族であるといふことを注意せねばならぬ。

スイスにおいては、一九二九年度中外國人にして有罪宣告を受けた者のうち、その五八一名（三九・五%）がドイツ人、四四〇名（二九・九%）がイタリア人、一六〇名がオーストリー人、一二三名がフランス人である。こゝではドイツ人の方がイタリア人よりも多いのであるが、これは一般人口との比率ではないから、ドイツ人の方がイタリア人などより犯罪率が高いといふことにはならない。スイスの地理的・言語的關係からいつても、ドイツ人の方がイタリア人より多くこゝに滯在してゐるであらうから、犯罪人の實數を比較すれば、ドイツ人の方が多く現れるのはむしろ當然である。犯罪人の人口構成においてドイツ人が最大の百分比を占めてゐるといふことは、前記諸國におけるドイツ人の犯罪率の低いといふ事實に對し、何等の反證となるものではない。

第一一表

アメリカの族系別犯罪率

族系別	犯罪率	族系別	犯罪率
イングランド系	27.1	ポーランド系	80.5
スコットランド系	41.4	ハンガリー系	63.1
スウェーデン系	22.7	ユーゴスラヴィア系	43.7
フランス系	43.3	リトアニア系	91.1
ドイツ系	27.7	イタリア系	95.2

アメリカ合衆國は各種の民族の混成國家であるから、諸國民、諸民族の比較を行ふには甚だ好都合な事情にある。一例を移住民第二世に關するタフト（D. R. Taft）の研究にとつてみると、第一一表に示す如く、東ヨーロッパおよび南ヨーロッパ系諸民族は西ヨーロッパおよび北ヨーロッパ系諸民族に比して、犯罪率において二倍以上の數を示してゐる。(6) 第一一表の數値が有罪宣告を受けた者の數を基礎として算出されたものであることは、原資料によつて明白にされてゐるが、いかなる比率であるかは記されてゐない。たゞ數値からみると、恐らくは各系一般人口萬に對する比率と見て誤なきものと思はれる。本表によりイングランド系、ドイツ系の犯罪率低きことはこゝにも立證されスウェーデン系亦典型的な北ヨーロッパ民族としての優秀性を犯罪の方面においても見せてゐる。南ヨーロッパでイタリア、東ヨーロッパでポーランドの各出身者の高き犯罪率は前掲諸國

にある同民族と極めてよく一致してゐる。リトアニア系も犯罪率が高い。もし在米リトアニア人が全本國民の代表たり得るものであるとすれば、東ヨーロッパの民族としてポーランド系と同じやうな事情にあるものと見てよいであらう。

少しく方面を更へて、ニューヨーク州の狀況を見ると、ギリシャ人、メキシコ人などが登場して來る。一九二九年中に同州において重罪により逮捕された者の數を、各族一八歲以上の一般人口萬に對する割合により比率を求めてみると、ギリシャ人、イタリア人、メキシコ人の三者は、あらゆる種類の犯罪において、外國からの全移住民の平均よりも高い犯罪率を示してゐる。全犯罪における第一の高率に位するものはメキシコ人で、その比率は一八八・六名であるが、そのうちに故殺を全然含まないといふのは注目すべき特色である。第二位はギリシャ人で、七七・九五名、そのうちに故殺が一一・六四名含まれてゐるといふところに、所謂地中海種族の激情的傾向を現してゐる。故殺ではこのほかイタリア系、オーストリー系、リトアニア系なども、アメリカ本來の住民よりも高い犯罪率を示してゐる。暴行および傷害ではギリシャ系、イタリア系、ポーランド系、メキシコ系、武器携帶の罪ではギリシャ系、イタリア系、メキシコ系がそれぞれアメリカ本來の住民よりも高き犯罪率を示してゐる。これに反して、こゝでも一般に犯罪率の低いのはチェッコスロヴァキア、ドイツ、アイルランド等の

第一二表

ニューヨーク市の不良少年出身國別（1928）

出身國	實數	%	出身國	實數	%
アメリカ本國	31	15	ベルムダ	1	—
イタリア	141	58	英領西インド諸島	1	—
ロシア	20	8	チェッコスロヴァキア	1	—
オーストリー	18	7	支那	1	—
アイルランド	15	6	ギリシャ	1	—
ハンガリー	3	1	ポーランド	1	—
ドイツ	3	1	スウェーデン	1	—
スイス	3	1	不詳	2	—
エスパニャ	2	—	合計	251	100

第一三表

ニューヨーク市の不良少年出身國別（1918—1922）

出身國	實數	%	出身國	實數	%
アメリカ本國	863	19	イングランド	32	—
イタリア	2270	51	ハンガリー	18	—
アイルランド	286	6	スコットランド	10	—
ロシア	259	6	不詳	338	8
オーストリー	138	3	その他の國	126	3
ドイツ	74	1			
ポーランド	62	1	合計	4476	100

出身者である。(7)

ニューヨーク市の不良少年について、その出身國系統別をあきらかにしたものがある。それは第一二表および第一三表に示す如くである。この兩表のうち、前者は一九二八年同市在住民の子弟にして、不良少年としての取扱を受けるに至つた者二五一名に關するものであり、(8)後者は一九一八年から一九二二年までの間の同市少年不良行爲事件四、四七六例に關するものである。いづれもその出身國すなはち兩親の國籍に從ふ區分を示してゐる。(9)兩表とも、その原資料に各系一般人口との比率を示してゐないから、正確なことは何もいへないが、イタリア系の者が飛拔けて多いことが窺はれる。前示の諸結果にみられる比率と綜合してみれば、その一般を知ることが出來る。

ニュージャージー刑務所一九二八年七月一日現在の在監人三、一八一名の白人につき出身國を調べた結果は、第一四表の如く報ぜられてゐる。(10)これも一般人口との比率を示してないから、犯罪率について正確な斷案を下す資料とはならないが、前二表と共に、アメリカ合衆國における犯罪現象の一斑を知るには役立つ。本表で特に留意すべきは、多くのものが外國において生れたると合衆國において生れたるとを問はず、等しい犯罪傾向を示してゐるといふ點である。明瞭な例外と見るべきはアイルランド系であつて、これのみは、アイルランドで生れた者の犯罪人は甚だ少いに拘らず、合衆國におい

第一四表

ニュージャーシー州刑務所在監人出身國別(實數)(1928)

出身	外國生	米國生
兩親及本人アメリカ生なる者	—	1,006
イタリア	295	415
ポーランド	89	160
ドイツ・オーストリー	86	127
ロシア	51	64
ハンガリー・チェッコスロヴァキア	47	46
イングランド・スコットランド・カナダ	35	66
アイルランド	18	164
フランス	9	7
ギリシャ	15	1
ノールウェー・スウェーデン・デンマルク	8	8
フィンランド	1	2
メキシコ	3	—
アルヘンティナ	4	—
チリー	4	—
ベルジック	2	—
ルーマニア	2	1
ユーゴスラヴィア	2	—
アルバニア	1	—
オーストラリア	1	—
セルビア	1	—
オランダ	8	18
ポルトガル	4	8
支那	4	—
トルコ	6	—
スイス	2	4
ボヘミア	1	1
シリア	10	3
エスパニャ	17	2
ウクライナ	1	3
リトアニア	12	13
混血	—	281
兩親米國生にして祖父母外國生の者	—	47
合計	739	2,442

第一五表
アメリカにおける入監者出身國別（%）（1904 年）

出生地	重罪	輕・罪	一般人口
オーストリー	5.1	2.6	2.7
カナダ	12.0	9.9	11.4
デンマルク	0.9	0.6	1.5
イングランド・ウェールズ	7.9	9.3	9.0
フランス	1.5	0.9	1.0
ドイツ	16.1	11.8	25.8
ハンガリー	1.5	1.2	1.4
アイルランド	10.7	39.6	15.6
イタリア	14.4	5.0	4.7
メキシコ	4.4	1.0	1.0
ノールウェー	1.7	1.4	3.3
ポーランド	4.5	2.8	3.7
ロシア	6.5	3.1	4.1
スコットランド	2.4	3.6	2.3
スウェーデン	2.4	3.0	5.5
スイス	0.6	0.5	1.1
その他	7.3	3.8	5.9

て生れた者すなはち所謂移住民第二世からは著しく多くの犯罪人が出てゐる。このやうに、第一世代と第二世代との著しい相違、換言すれば最初の渡航者とその次世代の者との著しい差異は、移住民犯罪の問題として、

別箇に考察を加へらるべきものであるから[11]、いまは立入らないが、アイルランド系の如きは、全體として相當多數の犯罪人を出してゐるといふ事實を認めておく必要はある。

アメリカ合衆國において一九〇四年に收監された四人中、三五、〇九三名（全體の二三・五％）が外國からの移住白人であるが、これをさらに重罪者と輕罪者とに分てば、前者は四、一三一名、後者は三〇、九六二名であり、その出身國別分布を見ると、第一五表の如くである[12]。この表には、同時に一般人口における各出身國系統別の分布狀況を示してあるから、これと犯罪人の分布とを對照すれば、一般人口との比較上からみた犯罪率を如實に知ることが出來る。これによつてみるに、カナダ系、フランス系、ハンガリー系の如きは一般人口中において占める割合とほゞ近似してゐるから、その犯罪率は全體の平均的位置を占めるといふべきである。然るにオーストリー、アイルランド、イタリア、メキシコ、ポーランド、ロシア、スコットランド等の出身者はいづれも一般人口から期待されるより犯罪人をかなり多數出してゐる。就中、イタリア、メキシコの兩系は重罪者を多く、アイルランド系は輕罪者を多く出してゐる點で特に目立つてゐる。これに反して、デンマルク、イングランドおよびウェールズ、ドイツ、ノールウェー、スウェーデン、スイス等の諸系に屬するものは犯罪率が低い。要するに、北ヨーロッパ系およびイングランド系が犯罪率低く、南ヨーロッパ系の犯罪率高きことはこにも一つの確證を見るわけである。

註（1）Roesener, Op. cit., S. 90. に掲載の第三表を簡明化したものである。
（2）Roesener, Op. cit., S. 91.
（3）同　上
（4）Roesener, Op. cit., S. 94. 原數値は《Compte générale de l'administration de la justice criminelle》に依據してゐる。
（5）新明正道「歐羅巴の人種、國民及び民族」、河出書房「世界地理」一一卷、昭和一五年、九六頁。
（6）Taft, Donald R., Nationality and Crime. Americ. Socio'. Rev., 1936, pp. 724. nach Exner, Franz, Volkscharakter und Verbrechen. Mon. f. Kriminalpsychol., 1938, Jg. 29, S. 409 f.
（7）Stofflet, E. H., A Study of National and Cultural Differences in Criminality. Arch. of Psychol., 1935, No. 185, p. 16.
（8）Gault, R. H., Criminology, 1932, p. 206.
（9）Gault, Op. cit., p. 207.
（10）Stofflet, Op. cit., p. 19.
（11）植松正「移住民の犯罪性」（本書第二篇一一六頁以下）
（12）Fehlinger, Hans, Die Amerikanische Gefängnisstatistik von Jahre 1904. Arch. f. Krim., 1908, Bd. 30, S. 359.

三　日本人その他の東洋人を包含する犯罪統計の據るべきものは甚だ乏しいが、多少觸れなければな

第一六表

ロサンゼルスの少年犯罪人民族別（1929・1930）

民族	兒童生徒1000人につき少年犯罪人	民族	兒童生徒1000人につき少年犯罪人
黑人	53.6	フィリッピン人	12.3
イタリア人	32.1	アメリカ人	8.7
エスパニャ語國民（メキシコを除く）	26.9	日本人	2.1
ロシア人	26.5	支那人	1.9
メキシコ人	23.6		

らない。それには滿洲、支那における犯罪統計が完備すると、非常によく各地における日本人の狀況がわかるのであるが、目下のところその利用し得べきものがない。これについては、田中寛一教授の論述にその最も多くのものを負ふこと次の如くである。

ビーチの研究によれば、カリフォルニア州における一九〇〇年から一九二七年までの犯罪檢擧總數中支那人はその三・五%を占めるに對し、日本人はその〇・九%に當るに過ぎない。然るに一般人口中においては、日本人の方が却つて多く一・七%、支那人は一・五%である。從つて、支那人はその一般人口から期待される率の二・三倍の犯罪人を出してゐるに對し、日本人の犯罪人はその一般人口から期待される率の半分にしか當らない。さらに刑務所に收容される者の割合を見ると、支那人はほゞ一般人口から期待される如く一・六%なるに對し、日本人は〇・二%であるから、それは一般人口から期待される率の八分の一にしか當らない。しかも支那人は毎年一般人口の減少する率とほゞ同率において入監者の數を減じてゆくに過ぎないが、日本人は一般人口において逐年增加しつゝあるに拘らず、入監者の員數は却つて逐年減少しつゝあるといふのである。(1)

ロサンゼルスにおける一九二九年および一九三〇年の兩年中の少年審判所受理人員につき、各族少年の一般人口千に對する比率を求めると、第一六表の如くなる。(2) この表に「黑人」とあるのは、恐らく殆んどすべてアメリカ・ニグロであるに相違ないから、その犯罪率の高いのは既に各地において證明されてゐるところである。イタリア人、ロシア人についても同樣である。日本人の犯罪率の甚だ低い事實をこゝにも見る。たゞ白人中最も卓越せる北ヨーロッパの諸國民と直接比較すべき資料を缺くのを殘念に思ふ。こゝで附言する必要のあるのは、この表に「日本人」とあるものには朝鮮出身者をも含んでゐるかも知れぬといふ點である。朝鮮出身者は次に示すリンド (A. W. Lind) の研究によつてあきらかにされたやうに、その犯罪率において、日本人一般より著しく高率である。そこで、もしこのロサンゼルスの少年犯罪人の分類において、「日本人」中に朝鮮出身者が含まれてゐるとすれば、「日本人」の犯罪率はそのために既に相當高められてゐるわけになる。それにも拘らず「日本人」少

第一七表

ハワイの少年犯罪人民族別

種別	實數	兒童生徒千に對する犯罪人の比率	種別	實數	兒童生徒千に對する犯罪人の比率
ハワイ人	208	169.7	支那人	114	26.8
混血ハワイ人	176	46.9	日本人	109	12.1
ポルトガル人	173	65.1	朝鮮人	3	72.8
ポルトリコ人	51	167.1	フィリッピン人	9	108.1
エスパニャ人	7	46.3			
その他の白人	26	10.7	合計	*960	38.3

＊印はその他の國に屬する者4名を加算した

年の犯罪率は支那人のそれと伯仲してほゞ最低率を示してゐる。われら日本人として深き注意を拂はざるを得ない。こゝで支那人の犯罪率が僅少ながら日本人のそれよりも數字上では低くなつてゐるが、この程度の數字的差異は必ずしも有意味な差異を示すものとはいへない。むしろ支那人は必ずしもいつもかやうに低率であるといへないことは、次に述べる他の資料がこれを立證してゐる。

リンドはハワイにおける一九二六年乃至一九二八年間の少年審判所の審判に附せられた人員を調査して第一七表の如き事實を報告してゐる。(3) これによれば、ハワイ人、ポルトリコ人、フィリッピン人等は頗る犯罪率高く、ポルトガル人、エスパニャ人（但、これはあまり實數が少いから、比率に確定的な意味を持たせるわけにはいかない。）等も相當高き犯罪率を有することは、前に示した南ヨーロッパ人に關する諸事實に一致してゐる。朝鮮出身者を除いて算出された「日本人」の犯罪率は、まづ最低位を占めてゐる（「その他の白人」の實數はあまり少いから、その犯罪率も數学的には確定的な意味を持たない。たゞそれが低率であるといふことを一應推測せしめるに過ぎぬ）。しかもハワイにおける日本人は一般に文化的に決して日本人全體を代表するやうな状況にあるとは思はれない。恐らくは日本人中のやゝ低い文化段階ならびに生活状態を代表するものであらう。それにも拘らず、その道德的であること、遵法精神に富めることにおいて、他の諸民族を凌駕してゐる。リンド註して曰く「ハワイ人は日本人よりも經濟的に上位にあるに拘らず、道德を維持することにおいて遙に劣る」[4]と。また曰く「少年犯罪のうち最も多いのは侵入盜であるが、本罪を犯すことにおいて日本人最も少く（日本人の犯罪の七六％）、ハワイ人と支那人とが最も多い（それぞれ各民族の全犯罪中の八五％および九〇％）」[5]と。以てその罪質における特徴の一端を見るに足る。

著者は一九三五年六月三〇日現在のハワイの刑務所在監人[6]および、年度不明であるが、恐らくは一九三六年度のものと思はれる資料で、ハワイにおいて有罪宣告を受けた者の數を知り得たので[7]、これに必要な補正を加へ、ほゞこの當時の一般人口[8]を基礎として、犯罪率を算出してみた。その結果は第

第一八表

ハワイにおける在監人民族別（1935年6月30日現在）

種別	男	女	計	%	人口萬に對する比率
支那人	37	1	38	7.62	13.93
フィリッピン人	142	2	144	28.86	26.34
ハワイ人	69	2	71	14.23	32.70
白人とハワイ人との混血	44	0	44	8.82	23.47
有色人とハワイ人との混血	32	0	32	6.41	18.56
日本人	59	0	59	11.82	3.96
朝鮮人	19	0	19	3.81	28.49
ポルトガル人	29	2	31	6.21	10.49
ポルトリコ人	33	0	33	6.61	44.78
エスパニャ人	5	0	5	1.00	39.46
その他の白人	22	0	22	4.41	4.37
その他	4	1	1	0.20	不詳
合計	492	7	499	100.00	12.98

一八表および第一九表の如くである。これらの資料によると、ポルトリコ人、エスパニャ人などが甚だ犯罪率が高く、フィリッピン人、ハワイ人なども相當高率であるが、朝鮮出身者を除いた日本人は常に格段の最低率を維持してゐる。ハワイ人や朝鮮人が有罪人員においてはさう高率でないのに、在監人の數においてかなり高率を示してゐるのは、重罪を犯す者が比較的多いことを物語るものといふべ

第一九表
ハワイにおける有罪者民族別

種別	實數	萬人口に對する比率	種別	實數	萬人口に對する比率
ハワイ人及その混血	1,976	333.77	エスパニャ人	55	436.16
支那人	1,107	402.61	朝鮮人	234	350.19
日本人	2,260	150.78	その他の白人	3,822	669.71
フィリッピン人	2,226	415.68	その他	293	不詳
ポルトリコ人	450	602.40	合計	12,423	315.88

きである。

これらの資料を通覽するに、日本人の犯罪性については、その資料を世界の各地に亙つて得ることが出來ないが、ともかくもその甚だ低率なるをほゞ肯定し得ると思ふ。

註（1）田中寛一「日本の人的資源」昭和一六年、二〇三頁以下。
（2）田中、前揭、二〇五頁以下。
（3）Lind, Andrew W., Some Ecological Patterns of Community Disorganization in Honolulu. Amer. Journ. of Sociol., 1930—31, Vol. 36, p. 215, 田中、前揭、二〇七頁以下にも紹介されてゐる。
（4）Lind, Op. cit., p. 216.
（5）Lind, Op. cit., p. 217, footnote.
（6）日布時事社「昭和一一年—一二年布哇年鑑」七五頁、七六頁。
（7）日布時事社、前揭、七三頁。
（8）日布時事社、前揭、四八頁。

四

諸國における外國人犯罪については實に資料が乏しい。犯

〇　表

國籍別有罪人員數 (1926)

盗	庇護・贓物		詐欺		偽造	
比率	實數	比率	實數	比率	實數	比率
30.70	120	4.62	249	9.58	100	3.85
14.20	27	1.21	193	8.67	73	3.28
9.47	15	1.16	75	5.82	24	1.86
3.65	5	0.61	26	3.16	4	0.49
25.20	10	2.12	59	10.60	19	4.03
6.36	4	0.94	23	5.42	4	0.94
5.78	4	1.65	16	6.60	2	0.83
16.10	4	2.48	16	9.91	8	4.96
5.69	1	0.71	5	3.55	1	0.71
71.30	5	6.86	25	34.3	3	4.12

罪總數に關する國籍別資料も容易に得られないのであるから、その罪名別はなほさらわからない。稀にわかつたとしても、本來實數の少いものを細分することになるから、各罪名に關する數値に十分恒常的な意味を認めることは困難である。しかも研究上重要な意味を持つのは、抽象的な總體的犯罪よりも、むしろ罪名別の犯罪率なのである。然るに現狀ではこれを十分に知ることが出來ない。罪名別の比較は一般的な犯罪率を述べる際にも便宜に應じて多少觸れるところがあつたので、今はたゞ二、三

第二

ドイツにおける主要犯罪の

國籍		風俗		竊
		實數	比率	實數
A群	ポーランド	55	2.12	797
	チェッコスロヴァキア	63	2.83	316
	オーストリー	16	1.24	122
	オランダ	15	1.82	30
	ロシア	5	1.06	119
	スイス	11	2.59	27
	イタリア	5	2.06	14
B群	ハンガリー	3	1.86	26
	ユーゴスラヴィア	5	3.55	8
	フランス	13	17.80	52

の國民につき、諸文獻に散見するところを補説するに止めなければならない。

罪名別から諸國民の犯罪を數字的に實證するものとしては、甚だ數も少くて十分信頼し難いが、ともかくも參照すべきものがある。それはドイツにおいて、一九二六年度中に有罪宣告を受けた諸國民に關するものである。第二〇表がこれを示してゐる。(1) この表においてAB兩群をわけた理由は第九表におけると全く同様である。また「比率」とあるのは在獨各國民の人口萬に對する有罪人員の割合を意味する。この表によつてみると、一般に實數が少いので、竊盗や詐欺だけが眞の意味での論議の對象となり得るに過ぎぬと思はれるが、この兩罪のうちでも、國によつてその員數があまりに少いものは偶然的事情による數値の動搖を生じ易いから、濫に斷案を下すことは出來ない。いまは假に暫定的な樣相を摘示してみるに止めよう。すなはち、⑴竊盗ではフランス人が極端に高率で、ポーランド人、ロシア人これに次ぐ。⑵同じく財産犯たる詐欺でも、フランス人、ロシア人、ポーランド人が順次最高位を占め、これら兩罪がほゞ歩調を合せてゐる。このうちフランス人はB群でもあり、犯罪人の實數も少いから、事情を異にするが、僞造、庇護、贓物の兩欄をも綜合して、所謂東ヨーロッパ人における財産犯への傾向を觀取することが出來る。風俗犯は全體としていかにも數が少いので、多くを論じ難いが、フランス人を除いては、各國民間に大きな差異なく、强ひて順位をいへば、チェッコスロヴァキア人、スイス人等が高率を以て登場してゐる。この資料には南ヨーロッパの諸國民があまり含まれてをらず、僅にイタリア人が出てゐるが、數が少いから資料としてこれを高く評價することは出來ない。

ヴルフェンは「ドイツ人は職業犯罪人となるに適した能力を持たない。旅館盗や大詐欺師を働くには言語や交際がへたであるから適しない。これに反して外國訛にすぐ親しみを覺えやすいから、被害者には極めてなり易い傾向にある。ドイツにおける危險な盜罪の犯人や職業的犯罪人の領は多くもつぱらロシア、バルカン半島の諸國、イタリア、オーストリー、ハンガリー等の出身者である」との趣旨を述べ、「イタリア人はその人種の性質に基き、ドイツにおいても財產犯を犯すこと少く、人身犯殊に有刄兇器を使用する犯罪を犯すことが多い」といふことを强調してゐる。(2)

このイタリア人の人身犯的傾向は甚だ顯著なるものであつて、一九二六年度におけるニュージャーシー州立刑務所在監人に關する硏究を行つたジャックスン（J. D. Jackson）は、兇器携帶の重い强盜犯人中にはイタリア人を兩親とするアメリカ生の者やポーランド人が頗る多いことを指摘してゐる。また彼は同刑務所の一九二五年六月以降二箇年內における入監者一、二〇七名につき調査した結果、イタリアからの移住民が謀殺や傷害において頗る高率であり、侵入盜において甚だ低率なることを指摘してゐる。(3)かくの如く暴力犯、人身犯についてのイタリア人の好發傾向は極めて顯著なるものがあるが、その傾向が人種的な素質上の特性に基くかといふことについては、多くの硏究者は必ずしもこれを積極に解してゐない。

ジャックスンが前揭一、二〇七名について行つた硏究結果によると、父母がイタリア人或はポーランド人であつても、その子がアメリカ生である場合には、侵入盜、强盜の如き盜罪を犯す傾向がずつと

强くなり、犯罪のアメリカ化が見られるといふ。(4)

ルート（W. T. Root）は一九二七年中ペンシルヴェニア西刑務所收容の一四四名のイタリア人につき、この點に關してもつと詳しく報じてゐる。すなはち、その要旨によれば、

(1) 同じくイタリア人であつても、南イタリア出身者は北イタリア出身者よりも犯罪率が高い。その理由は前者が封建時代からの傳統的風習を保持してゐるといふことと、經濟的に不良な立場にあるといふこととにある。

(2) イタリア人は、アメリカ・ニグロを除き、他のいかなる人種よりも暴力犯を犯す傾向が强い。

(3) イタリア人犯罪の主要原因は、彼等が情緒激發し易く、武器を祕密に携行し、飲酒賭博を好み、失業者多く、徒黨を組む等の事實にこれを求むべきである。

(4) イタリア人に暴力犯多きは、その人種的特性に基くものではない。イタリア系の人間でも、アメリカで生れた者はイタリア本國で生れた者よりも、本犯を犯すこと遙に少く、アメリカ土著の白人とほゞ相等しいからである。

(5) 累犯率に至つてはイタリアから移住して來た者すなはちイタリア生の者は逆にアメリカ生のイタリア系第二世やアメリカ土著の白人よりも低率である。

(6) イタリア人は土著の白人よりもあらゆる犯罪において人口の割に高率を示してゐるが、侵入盗、詐欺、横領等においては土著の白人より低率である。

(7) イタリア人の囚人は一般に智能が低い。精神薄弱との境界線上にある者が多い。

この調査の對象となつた員數はあまり多くないから、この結論を細部に亙つて一般に適用することは危險である。殊に囚人の智能の低いことなどはイタリア人に限つたことではないから、そのなかでもイタリア人が目立つて低いのかどうか問題である。しかしながら、この報告がイタリア人犯罪の特徴の一端を語るものとしての意味はこれを酌まねばならぬ。

イタリア人の暴力犯的犯罪傾向は、アメリカにおける第二世において著しく減少するといふ事實が、こゝに指摘されてゐるが、これはアメリカへの移住民第二世に限つた現象ではない。ボディーオ（Bodio）の研究によれば、イタリア本國においても一般に、年と共に暴力犯が減少しつゝある事實が見られるといふことである。(6)

ボスコ（Bosco）は一八八九年アメリカ合衆國における故殺罪につき、各人口一〇萬に對し、本來のアメリカ人は九・五名の割合で罪人を出してゐるが、デンマルク人、スウェーデン人およびノールウェート人五・八名、イングランド人一〇・四名、アイルランド人一七・五名、ドイツ人九・七名、フランス人二七・四名、イタリア人五八・一名となり、フランス人、イタリア人およびアイルランド人が特に高率なことを實證してゐる。尤も、これら諸國民はそれぞれの母國在住民に比すれば、一般に犯罪率が高いのであつて、フランス人とイタリア人とを除けば、いづれも母國在住民の二倍に相當する高率である。(7) それはそれとして、ともかくもこれら在米諸國民間にかやうな犯罪率の相違があるといふことは事實である。

上來述べ來つたところによりあきらかな如く、イタリア人の犯罪性はその量においても顯著な特色を持つてゐることが多くの學者の注目するところとなつてゐるが、その他の諸國民、諸民族については、極めて斷片的な記載の徵すべきもののあるに過ぎない。その記述を一、二採錄すれば次の如くである。

ヴルフェンによれば、ローマン民族（イタリア、フランス、エスパニャ等）の犯罪の特質は激越性にあり、階級對立の意識も亦甚だ尖鋭なのを特徵とするに對し、ドイツのそれは冷徹にして客觀的である。またアメリカの犯罪人は打算的であり、イギリスに恐喝が古くから流行してゐるのは、僞善により外面を糊塗しようとする者が多いから、それが被害者となるのであらうと。ロシアでは法規に對する無感覺が犯罪において大きな役割を演じてゐる。何人もロシアにおけるほど、その四人のうちに善良な、素朴な、さうして甘んじて犧牲となるやうな人間を見出すことは出來ない。ロシアには配偶者謀殺が甚だ多いが、その多くは夫その他の親族に虐待され、暴行を加へられた妻が、犯行に及ぶのであつて、他のヨーロッパ諸國に往々見かけるやうな淫樂殺人（Lustmord）の如き性的異常素質の發露を原因とする配偶者殺害は珍しいのである。[8] ヴルフェンはかゝる觀察を敍した後、ロシアの藝術に論及し、「ドストイェフスキーやゴーリキは西ヨーロッパの人間には理解出來ないやうなロシア人の犯罪の動機を詳しく記してゐる。ロシア人にとつては、犯罪に陥ることがある程度まで運命的であるから、犯罪的なものがその民族生活において特別の役目を持ち、それが文藝や繪畫に入り込んでゐる。殊に繪畫は犯罪を主題として非常な效果を收めてゐる。モスカウのトレチャコフ（Tretjakow）畫廊には、たとへばリイェピン（J. I. J. Rjépin）の『囚人歸る』やイェロシェンコ（A. Jaroschenko）の『到るところ生活あり』の如き他國で見られない傑作がある」と結んでゐる。[9]

註（1）Roesener, Op. cit., S. 92.

（2）Wulffen, E., Kriminalpsychologie, 1926, S. 161.

（3）Stofflet, Op. cit., p. 15.

（4）同　上

（5）Root, W. T., A Psychological and Educational Survey of 1916. Prisoners in the Western Penitentiary of Pennsylvania, 1927, Pp. 218.

（6）Proal, Louis, Le Crime et la Peine, 4e. ed., 1911, p. 156.
（7）Lombroso, O. cit., p. 84.
（8）Wulffen,Op. cit., S. 161 f.
（9）Wulffen, Op. cit., S. 162.

第六章　結　語

諸國民の犯罪性について、乏しい資料のなかを、ともかくも漁つて來た。資料が乏しいので、必ずしも歴史的に述べることも出來ず、また現在に近接せる事情のみを述べるわけにもゆかなかつた。いきほひ古い記述をそのまゝ使はざるを得なかつたが、それをしも敍述の便宜上、現在形の動詞を以て敍した。しかし、いづれも年代を明記しておいたから、その當時の事實を述べたものと解していたゞきたい。年次的には古くとも、それはその資料にまつはる特殊事情を闡明する上に差異があるだけであつて、決して古きがゆゑにその民族の現在における犯罪性に無關係であるのではない。

民族性といふことを遺傳と環境との複合的所產として見るかぎり、それは現實あるがまゝの民族性として、犯罪性のうちに顯現してゐる。各民族の民族性はその生活態度のうちに如實に出てゐるが、その生活態度に照應するやうな事實が、そのまゝ犯罪現象のうちにも特質として現れてゐる。犯罪も亦疑もなく一つの民族的所産である。犯罪性は民族性の一つの位相である。

大局的に見て、一般に世界における一つの優秀民族と見られる北ヨーロッパの諸民族は、犯罪の方面においてもその率低く、その民族の優秀性を證明してゐる。イングランド人の如きも世界最高の文化の一部を擔ふ民族として、ドイツ人と相伯仲する程度の優良な犯罪率を示してゐる。これに反して地中海種族に屬する諸民族は概ね犯罪率高く、殊に激情性犯罪に關與すること大なるを證明してゐる。東ヨーロッパの諸國に位置する民族も、これに準じて犯罪性强き民族である。

世界注視の的となつてゐるユダヤ人はその智的優秀性を犯罪の面にも反映し、一般に犯罪率が低いが、他面その貪婪利欲的な性情が、財産犯殊に詐欺的虚妄を手段とする犯行に走ることにおいて如實に表現されてゐる。その犯罪率は經濟狀態如何によつて大いに變化するが、その罪質における特色は、少くとも或る程度まで、時と所とを超えて存するものの如くである。

ジプシーはその生活の甚しく原始的にして、通常の社會に存するが如き道義觀念に順應してゐないから、その犯罪の如きも丁度無智な未開人の或る者におけるが如き狀態にある。犯罪率極めて高く、しかもその手段には甚だ特色がある。

アメリカ合衆國において非常な關心を呼んでゐるアメリカ・ニグロの犯罪は、やはり暴力犯が多いといふ點で、智能の劣等な民族に通常認められる特色をそのまゝ表現してゐるが、ニグロの犯罪率は南部諸州と北部諸州とにより著しく相違してゐるし、彼等の犯罪率を高めるやうな外圍的事情も種々あることを顧慮しなければならない。

日本人の犯罪性については資料が殊に不十分ではあるが、蓋しその道德的健全性、遵法的資質については信頼するに足るものがある。田中寛一教授は日本人の心理的優秀性とこれに關聯せる若干の身體的卓越性とを幾多の業績を以て證明せられたのであるが、こゝに犯罪性に關してもその立證の曙光を見る。現下道義頽廢の狀況は戰後の特異事情によるものと見るべきである。

最後にもう一度あきらかにしておきたいのは、曩にも一言斷つたやうに、諸國民の犯罪を論ずるに當つて、その資料がそれら諸國民の外地における實情からとられたといふことである。これは以上の考察にとつて一つの長所たるを疑はないが、同時にそれはまた重大な危險を藏するものであることを忘れることが出來ない。それはその外國に在るところの者が本國の國民性を正當に反映してゐるかどうかといふことである。今後各地における豐富なる資料による補正と裏付とに期待せねばならぬ。

第二篇　移住民の犯罪性

第一章　序　說

こゝに移住民といふのは、或る國にとつて外國から移住して來た者の謂である。それはその「或る國」の本來の住民に對照する概念として用ゐられてゐる。この點わが國では通常の用語上、外國への移住民とこれとを簡單に區別する言葉がないので、いさゝか混雜を免れないが、かういふ意味に限定された「移住民」はドイツ語などでいふ Einwanderer に相當し、所謂 Auswanderer ではない。またこゝに所謂「移住民」とは、必ずしも永久的にそこに新に居住することになつた者だけを指すのではなく、一時的な來住者をも含む。從つて極めて短期間滯在する旅行者の如きも少數含まれてゐる。これは各國の犯罪統計がこの區別をあきらかにしてゐないから、かう取扱つておくのが便宜なのである。しかしアメリカ合衆國では、多く immigrants として論ぜられてゐるから、それは一時的旅行者として滯在する者の如きは除外してあると考へられるし、ドイツなどのやうに往々 Ausländer として表示されてゐるものは一時的滯在者に過ぎぬ者をも含む意味であるかも知れない。要はそれぞれの國の事情に應じて逕庭あるを免れないのではあるが、旅行者の犯罪といふのは、大抵所謂「國際犯罪」的性格のものが注意されてゐるのであつて、その數において恐らくは多くないと思はれる。であるから、移住民の犯罪を論ずるに當り、嚴格には移住民といふ概念には合はないのではあるが、一時的滯在者の如きをも含めて「移住民」と呼んでおくのを便とする。またそれで別して支障もないのである。各〻の國により、「移住民」が主として開拓移民のやうな恒久的性質の居住者を指すか否かの相違があるから、それは解釋上において然るべく補ふのほかはない。さてこの意味での「移住民」に對照する意味では、これら移住民の移住地に以前から定住してゐる住民を「本來の住民」と呼ぶことにする。

この意味での移住民の犯罪性といふことは、夙に犯罪學者の注目を惹いたことである。今日ヨーロッパの學界では、移住民が本來の住民に比し、高い犯罪率を示すものとして理解されてゐるのを普通とするが、アメリカには反對の事實を擧げる研究者もある。いづれにせよ、かやうな概括的な斷案を下せるかどうかは問題であるが、本篇は從來の研究成果を檢討綜說し、わが國今後の移住民問題の解明に資せんとするものである。

わが國の移住民の犯罪に關する問題は、今次大戰終了前までは、外國人としては支那人をその尤なるものとする。しかし今後は各地から多數の移住民の來るべきを豫想せねばならぬと共に、他方においては、いづれ將來はわが國民にして各地への移住民となる者多きことも豫測されることである。然るに、人あるところ必ず犯罪あるべきを想はなければならぬ。犯罪があれば、その原因論的究明を怠らず、その對策を立てなければならぬ。しかもこの問題は異れる國家間の移住に限ることではない。同一國家内においても、所謂內地と外地との間の移住關係などは、異國間のそれに準じて考へられてよい。わが國についていへば、朝鮮、臺灣への移住から、滿洲、支那乃至南方諸地域への移住現象も、等しくかうした問題を包藏してゐた。それは外地における日本人または日本內地人の犯罪として特別の考察に値することである。これを要するに、わが國における移住民犯罪の問題も、日本に來た移住民の犯罪と外國に移住した日本人の犯罪との兩翼を有する。こゝではもつぱら移住民の犯罪性に關する從來の研究結果の跡を辿り、以て他山の石とするに止める。

第二章　犯罪率高き事實

この問題についても、我々はやゝ古典的な記載をロンブローゾに負つてゐる。ロンブローゾは、その生來性犯罪人說が特殊事例を不當に一般化することによつて構成されたものであつたため、今日においてはあまり顧られなくなつてしまつたが、その晩年の思想は著しく緩和されたものであり、かなり社會學的乃至社會心理學的事實に注目するに至つてゐる。さうして、さういふ變化を經由してからの彼とその學派の實證的研究には、今日でも正當に高く評價せらるべきものが幾多殘つてゐるのである。

ロンブローゾは曾てフランスにおける犯罪の增加が、一年に一二〇萬人にも及ぶ大量移住民の來住に原因することに注目し、またアメリカにおける狀況につき大略次の如き敍述を揭げてゐる。(1)すなはち「フランスにおいて故殺の最も多い地方はローヌ河口地方で、年四五件を算するが、この地方は移住民の一大中心であつて、五萬のイタリア人を擁する。もしこの移住民の多いといふ事情を除去すれば、この地の犯罪數の順位はずつと下るのである。」

ジョリー (Joly) は竊盜、謀殺、傷害などの犯罪を行ふのは、殊に外國人に多いといふ事實を指摘してゐる。

フランスにおける强姦罪の狀況を見るに、一八八一年度において、フランス人はその人口一〇〇萬につき同罪犯人一七名なるに、移住民ではそれが六〇名を算する。一八七二年度にあつても、それぞれの人口一〇〇萬につき、フランス人は一八名なるに對し、移住民は四六名に上つてゐる。

第一表

アメリカ諸州の犯罪率および移住民包含率（1880年）

州	人口千に付犯罪人數	移住民包含率（%）
California	0.30	33
Nevada	0.31	41
Wyoming	0.35	28
Montana	0.19	29
Arizona	0.16	39
New York	0.27	23
New Mexico	0.03	6.7
Pennsylvania	0.11	1.3

アメリカの統計（Compendium of the Tenth Census (1880) of the United States, P. 11, 1659）によつても、やはり移住民の犯罪率は高い。殊にアイルランド人やイタリア人の多く移住してゐる諸州は、犯罪において各州中の最高位を占めてゐる。すなはち人口千につき犯罪人の出現率と移住民包含の割合（百分比）とを示せば第一表の如くである。最下段の二州は上六段の六州と顯著なる對照をなしてゐる。こゝで特に注意すべきはこれら諸州の人口密度との關係である。本來人口密度の濃密な地方は稀薄な地方よりも犯罪率の高いのが通則であるから、Montana（當時の人口密度一平方マイルにつき〇・三名）、Wyoming（同〇・二名）、Nevada（同〇・六名、Arizona（同〇・四名）の如き稀薄な地方は、他の條件

にして同一ならば、New York（同一五一名）、Pennsylvania（同九五名）、Columbia（同二、九六〇名）のやうな濃密な地方よりも當然犯罪率が低かるべきはずである。然るに事實は、第一表の語る如く、その逆である。これは移住民の多い地方が犯罪率が高いといふことを雄辯に物語るものといはなければならない。

ニューヨークでの檢擧人員四九、〇〇〇名中移住民は三二、〇〇〇名も含まれてゐるし、全アメリカの四人三八、〇〇〇名中二〇、〇〇〇名は移住民の第二世であるといふ。

フランスでは既に一八八六年に次のことが氣付かれてゐた。すなはち同年中國內定住者では一〇萬名中僅八名が重罪裁判所に送られるに過ぎないが、國外に移住したフランス人は同じく一〇萬名中二九名が重罪裁判を受けるに至つてゐる。

かういふ現象は國內における移住についても同じことである。たとへば St.-Graudens にはフランス人の行商人が非常に多く集る。人口三六、〇〇〇のところ七、〇〇〇名もゐるが、犯罪殊に詐欺、暴行、傷害を惹起することが頗る多い。棄兒、姦通なども同地方に多い。La Sarthe はフランスにおいて最も犯罪率の低い地方なるに拘らず、同地方出身者にして他の地方に在る者の犯罪率は他地方出身者に比して遙に高く、地方別による犯罪楷梯を三十四段も上に昇ることになる。La Creuze 地方も犯罪率の低いことではフランス第三位にあるのであるが、同樣の理由により同地方出身にして他の地方に在る者の犯罪率は低い方からいつて第一八位になることになる。

驚くべきは、ロッツィ（Lozzi）の研究によれば、宗教的情熱を以て旅行する移住民さへ犯罪率が高いといふことである。著名な寺院のある土地が一般に評判が惡いのもこのためである。

ボスコの研究（Bosco, L'Omicidio nogli Stati Uniti, 1895.）によると、アメリカにおける移住民は同國の故殺の增加に重要な役割を演じてゐることが解る。一八八九年同國における故殺による在監人は、各人口一〇萬につき、アメリカ本來の住民は九・五名なるに對し、移住民は一三・八名である。この移住民をさらに出身國に從つて細分してみると、やはり各人口一〇萬につき、イタリア系五八・一名、フランス系二七・四名、アイルランド系一七・五名、イングランド系一〇・四名、ドイツ系九・七名、デンマルク、スウェーデンおよびノールウェー系五・八名となつてをり、イタリア系およびフランス系以外の諸民族はいづれもその母國における母國民の故殺犯率の二倍に相當する高率を示してゐる。すなはち、移住民は本來の住民に比して概して高き故殺犯率を示すのみならず、各母國に在る國民に比してもその率は著しく高いのである。

ドイツにおける一八八六年から一九二六年までの間の移住民犯罪率を本來の住民のそれに比較して

第二表

ドイツにおける內外人犯罪率の比較

（各人口千に對する比率）

年度	移住民	本來の住民
1886	9.9	7.5
1891	10.8	7.9
1896	11.4	8.7
1901	12.9	8.8
1906	13.9	8.7
1911	73.0	8.4
1926	14.2 *18.5	9.5 *12.5

*印は責任年齡以上の者千に對する犯罪人の比率を示す

みると、第二表(2)の如くすべての年度において例外なく移住民の犯罪率は本來の住民のそれよりも高率である。

かやうに移住民の犯罪率が高いといふことは、大體においてヨーロッパ各地における共通の現象である。從つて、それは、後に述べるアメリカの諸學者による反對說を除き、ほゞ一般の承認を與へられた事實となつてゐる。臺灣における支那本土出身者(3)、朝鮮における支那人(4)についても同樣の事實を肯定せねばならぬ。しかし勿論、すべての民族は、移住民となれば、常に本來の住民より高き犯罪率を示すといふのではない。在外日本人などもその然らざることを從來二、三の地域において既に立證して來てゐる。移住民の犯罪率が高いといふのはもとより單なる概括論であるに過ぎない。

移住民の犯罪性について極めて巧な綜説を試みたハンガリーの學者ハッケル（Ervin Harker）は「移住民と本來の住民との間の犯罪の相違は、その移住民と母國との距離が遠のけば遠のくほど甚じくなり、移住民の罪質も重くなる」といふ法則めいたものを導いてゐる。(5) ドイツ文の論文抄錄に表れた限りにおいては、かゝる通則を證すべき事實は何等示されてゐない。そこに書かれた程度では勿論この結論を導くのは尙早であるし、他の資料によつてもかゝる通則は證明されないばかりか、それは論理的にも何等必然性を伴はない。假に乙の國における甲乙兩國民間の犯罪における差異が、丙の國における甲丙兩國民間の犯罪における相違よりも著しいといふ現象があつたとすれば、それは中國からの移住民に對する乙丙兩國民の各〻が持つ本質的な差異の大小にこそ由來すると考へる餘地はあるであらうが、地理的な遠近に根據があらうとは考へられない。もしさういふ地理的遠近が關係することがあるとすれば、或はむしろ移住民とその母國民との差異にその影響が現れもするであらう。萬一ハッケルのいふやうなことが經驗的事實としてあつたとしても、それは偶然の一致といふべきで、何等の法則にも値するものではない。それは丁度犯罪人類學の亞流の一研究者が、四人中に心臟病者の多いことを發見して、直ちに「犯罪は心臟の疾患に由來する」と結論するの愚を敢てしたのと同じである。單に竝行的に見られる現象を捉へ、何等合理的根據を見出すことなくしてそこに有意義な關係あるかの如く妄想するのは、經驗科學において特に愼まなければならない事實の陷穽である。

これに較べれば、移住民が移住地に安定してゐればそれだけ犯罪率が低いといふ概括の方が、よほど合理的な意味を持つてゐる。これにつきジョリーはフランスの移住民のうちでは定住的であるベルギー人の方が一時的移住民であるエスパニャ人よりも犯罪率が低いといふ事實を以て例證してゐる。(6)

註（1）Lombroso, Cesare, Le Crine, Causes et Remède, 2e. ed., 1907. Pp. 76.
（2）Roesener, Ernst, Ausländer: Erster, A., u. Lingemann, H., Handwörterbuch der Kriminologie, 1933, Bd. 1, S. 88.
（3）植松正「犯罪現象より見たる臺灣在住民の族系的差異」、臺法月報、昭和一七年、三六卷一〇・一一・一二合併號、五八頁。（本書第四篇一八一頁）。
（4）著者の手もとにおいて旣に整理を完了した未發表の資料により明白に觀取され得る。
（5）Hacker, Erwin, Kriminalität und Einwanderung. Blätter für Gefängniskunde, 1925, Bd. 56, S. 28.
（6）Lombroso, Op. cit., P. 79.

第三章　犯罪率高き理由

移住民の犯罪率が本來の住民のそれに比して高率であるといふことはいかなる理由に基くか。これについてはハッケルが最も要領を得た綜合的な敍述をしてゐる。その列擧する諸事由は次の如きものである。(1) いまそれに準據しつゝ、補訂を加へてゆくことにする。

一　社會的因子

(1)　經濟的破綻。國外に移住するのは、經濟的破綻に由來することが多いが、經濟的破綻者が容易に犯罪生活に入る處のあることは周知の事實である。從つてこれが移住民の犯罪を多からしめる原因となる。

(2)　職業的特徴。移住民は多く商業に從事するのを常とするが、商業に從ふ者が一般に生産業者より犯罪率の高いことは極めて明瞭な公知の事實であるから、移住民に犯罪の多いのは當然である。これは恐らく主としてヨーロッパにおける移住民の事情であると見るべきであらう。從來わが國に來てゐた移住民などはこれと著しく事情を異にし、必ずしも商業に偏つてはゐないと思はれるが、臺灣や朝鮮における支那本國人は下層の勞働に從事する者が寧ろ多かつたやうである。移住地の具體的事情により、必ずしも所論の如くでないといはなければならぬ。

（3）　都市集中。移住民は右の如き職業上の特徴に關連して、自然都市に居を構へ、商業の中心地に集中するが、都市が村落よりも犯罪への機會の多きはこれ亦犯罪學上確定的な事實であるから、移住民の犯罪は多くならざるを得ない。

これも前同様ヨーロッパについて特にいへることであつて、すべてにあてはまるのではない。

（4）　道徳的頽廢。移住民中には經濟的破綻の結果、道徳的にも頽廢してゐる者が多く、殊に不平分子を多分に包含してゐるので、移住民の犯罪率は高まる。

（5）　民族的衝突。移住民と本來の住民とは風習、道徳、制度、その他の事情を異にし、或は互に偏見を持つ等のことから、民族的衝突を起し、移住民がその罪責を問はれるに至る。

このことはパーメリー（Maurice Parmelee）が特にアメリカの少年犯罪について強調する(2)ところの原由でもある。

（6）　未婚者多し。移住民中には未婚の男女を特に多く含んでゐるが、男子の未婚者が既婚者に比して高い犯罪率を有することは周知の事實である。家庭の形成は犯罪に對してあきらかに抑壓的に作用するが、これが移住民においては比較的少いのであるから、犯罪率を高からしめるの結果となる。

（7）家庭教育の不足。家族内の生活によつて與へられる繼續的な教育は、性格形成上頗る大切であるが、これが前記の如き事由から、移住民には不足してゐる。この意味の家庭教育の不足が犯罪を増加させるといふことは、統計的にこれを證明する資料はないが、犯罪原因論上その重要なことは疑を容れない。

（8）矛盾教育。移住地の風俗習慣と合致しないやうな教育が同族の間から與へられるので、そこに矛盾を生じ、移住民の子弟の不良化が惹起される。

（9）享樂生活。移住民は賣淫、酒精、痲藥類の享樂によつて犯罪生活に近づく。これらのものが犯罪と積極的な關係あることについては多言を要しない。

（10）教養の不足。教養が一般に不足してゐるため、移住民は生存競爭において敗北し、犯罪生活に入る者少しとしない。

（11）周圍無緣。移住民にはその周圍に知人が少い。知人が少ければ犯罪を犯し易いことは一般に知られてゐる通りであるから、こゝに犯罪が胚胎する。

この原因は相當重要である。所謂「旅の恥はかき捨て」といふやうな心理の作用することは、我々日本人の外地生活においても屢〻目擊したところである。

二　人類學的因子

（1）心身の缺陷。心身に缺陷あるため、母國において生存競爭の劣敗者となつた者が、移住して行くので、移住地の犯罪事情を增惡せしめる。

この理由は、ハッケルの掲げるところではあるが、果してどの程度の正當な根據となるか頗る疑問である。恐らくは犯罪人に生來性缺陷ありとの犯罪人類學說に影響された臆斷であると思はれる。心身における甚しき劣弱者は却つて移住の能力をすら缺いて母國に止まるのを餘儀なくされてゐるであらう。移住民には非常な優秀者も少い代りに、非常な劣弱者も乏しいといはなければならぬ。心身に缺陷があるといふほどの者は恐らくは却つて少い筈である。

（2）青年男子が多い。二〇歲から三〇歲までの血氣盛な者が移住民中には特に多く含まれてゐるが、この年齢段階にある者は同時に犯罪人となる率の最も大なる者である。殊に男子が多いといふことは犯罪率を昂めるに重要な要因となつてゐる。從つてこれを多く含む移住民集團は、當然に犯罪率高きものとならざるを得ない。

（3）刑餘者が多い。刑餘者が好んで移住するので、その累犯により、或は感化により、移住民の犯罪率が昂まる。

（4） 反社會性人格。所謂「行爲の無政府主義者」（"Anarchisten der Tat"）ともいひ得べき者が移住民中に往々潜入し、初から社會秩序紊亂の目的を以て移住するため、そこに犯罪の増加が起る。

これらの諸條件が移住民には甚だ屢々隨伴してゐることは否定し得ない。それが學者の一般に承認するところとなつてゐるのも[3]、蓋しその所説は概ね適切と見られてゐるからである。しかし前にも一言したやうに、移住民の犯罪率の高いことの理由についてのこれらの論述は、主としてヨーロッパ諸國に關することであつて、アメリカなどにおける移住民犯罪の問題には必ずしもあてはまらないこともあるのである。

註（1） Hacker, Op. cit., S. 28 ff.
（2） Parmelee, Maurice, Criminology, 1926, p. 228.
（3） たとへば Roesener, Op. cit., S. 82 f. Finkey, Franz, Monatschr. f. Kriminalpsychol., 1929, Jg. 20, S. 696.

第四章　反對現象の考察

——特にアメリカおよび日本における現象——

移住民に關しては、アメリカでは所謂移民問題が重大なる關心を呼んでゐるために、特別の注意が拂はれてゐる。然るにこの國における詳密な研究の結果は、必ずしもヨーロッパで氣付かれた事實と一致してゐない。

移住民の犯罪率が本來の住民のそれよりも高いといふことが、ヨーロッパの學者間では殆んど既知の公理の如くに扱はれてゐるが、アメリカでは反對の事實も隨分見られる。

まづ、バグリー(William C. Bagley)は、實證的資料を提示してはゐないが、移住民の犯罪率は常に必ずしも高いものではなく、移住民集團を異にするに從つて、或は本來の住民よりも高率であり或はそれより低率であるといふことを主張してゐる。(1) このことは移住民をたとへばその出身國別に檢討してみればあきらかなことであつて、出身國の如何によつては本來の住民より低率であるものもあり、然らざるものもあるのは、既に言及して來たところである。かやうな事實がある以上、我々は移住民は常に本來の住民より犯罪率が高いといふ抽象的な原則に歸著せしめることは出來ない。移住といふ事實には曩に述べたやうな犯罪誘發的原因が多々あるのであるが、或る國の移住民には偶〻さういふ原因が強く働いてゐないか、或はこれと拮抗すべき他の抑制力が作用してゐるがために、結局犯罪率を上昇させてゐないといふこともあり得る。またさうでなく、實際は或る程度上昇してゐても、元來その國の移住民の犯罪率が本來の住民のそれに比して著しく低いものでさるために、未だ以て本來の住民の犯罪率を超えないといふこともある。これは見易きの理であるといはなければならぬ。従つてヨーロッパの諸學者の導いた通則――移住民の犯罪率は本來の住民のそれよりも高いといふこと――は、これを改訂して、「移住民には犯罪誘發的原因が多々附隨してゐるから、母國在住民よりも、その犯罪性は高められる」といふ命題において理解すべきであらう。

こゝで、もし母國在住民と移住民とをその犯罪率において直接に比較し得る資料があれば、この點を事實を以て證明するには甚だ好都合なのであるが、移住國の刑事司法の法制と實務とは、通常出身國のそれと著しく相違するため比較するに適切な意味を持たない。それを證明するには、刑事司法の法制と實務とにおいて大なる逕庭なきわが國の曾ての內地と外地とを比較するのが極めて有益であるが、こゝではそれに論及しない。要するに、移住民においては母國民より犯罪率の高かるべきことが豫期されるが、これに對し、移住民が移住地の本來の住民より高い犯罪率を示すといふことは、單に屢〻さうであるといふに過ぎないことを指摘して置く。さうしてむしろ次にアメリカにおける移住民犯罪の却つて低率であるといふ事實を觀取することにする。

アボット（Miss Edith Abott）は移住に犯罪の原因力ありとの見解に反對し、「それは主として、本來の住民が自己の優越を誇らんとする心理に由來する」といひ、その證據として、「シカゴにおける數字はあきらかにこの見解に反して樂觀を許さぬものである。檢擧人員を年齡一五歲以上の者の一般有責者人口との比において見ると、アメリカ本來の白色住民の犯罪率は外來の白人よりも有色人よりも高率である。移住民は全有責者人口中四六・七%を占めるに拘らず、檢擧人員中においてはその三三・四%にしか達してゐない。これに反してアメリカ本來の白色住民は全有責人口の五〇・九%に過ぎぬが、檢擧人員中ではその五九・四%も占めてゐる」といふことを擧げてゐる。(2) アボットの調査を基礎として作つた第三表はアメリカ各地においてほゞ同樣の事情あることを如實に語つてゐる。(3) 本表において「比率」と稱するのは一五歲以上の者の人口萬に對する犯罪人の割合を意味するのである。この「アメリカ生」といふなかには親が外國生の者すなはち移住民第二世が含まれてゐるのではないかと思ふが、この點つまびらかでない。もしそれが含まれてゐるとすると、それを「アメリカ生」として「外國生」と對置したことは多少問題たるを免れない。この點は後に分析的に考察することとする。

グラック (Bernard Gluck) のシンシン刑務所在監人に關する調査 (First Annual Report of the Psychiatric Clinic in Collaboration with Sing Sing Prison) にも、これと同じやうな疑問が含まれるが、ともかくも、外國生の囚人の方がアメリカ生の囚人より犯罪率の低いことを報じてゐる。(4) 同樣の資料

第三表

アメリカ諸市および諸州の白人犯罪人出生地別（1920年）

地名	基礎數	(A)アメリカ生白人		(B)外國生白人		A÷B
		實數	比率	實數	比率	
Chicago	Charges	60,603	567	23,500	302	1.88
Chicago	Convictions	17,554	164	7,695	98.8	1.66
Washington	Charges	26,822	1,156	2,636	952	1.21
Boston	Arrests	37,899	1,197	20,918	904	1.32
Newark	Police Prisoners	7,742	473	4,438	393	1.20
New York	Commitments	46,146	98.6	24,785	92.5	1.06
Massachusetts	Commitments	2,919	17.0	1,458	13.9	1.23

はミシガン州のジャックスン刑務所（Jackson Prison）の一九二六年七月三一日の報告にも現れてゐる。後者によれば同州における當時の一般人口中外國生の者は一九％含まれてゐるが、四人中には外國生は一六％しかゐないといふ。(5)

シカゴとボストンの少年累犯者四、〇〇〇名の調査結果(6)によると、移住民の方が却つて低率といふほどではないが、外國生の者とアメリカ生の者との間に優劣は認められないから、少くとも移住民の方が犯罪率が高いといふ從來の通説に對しては、これも反對の事實を提供することになる。兩市とも一般人口中における外國生の者の割合と犯罪人中における外國生の者の割合とは大體照應してゐることがあきらかである。

かくの如き事實が報ぜられてゐるから、ヨーロッパの學者のものでも、かういふ新しい事實を知つた新しい文獻のうちには、從來の通説と反對に、「移住民の犯罪率が本來の住民のそれより低率であるといふことは一般に承認された事實である」と要約してゐるものもある。(7) しかしさういふ反對の要約をすることはなほ早計である。それはアメリカにおける一部の資料の結果であるに過ぎないから、これを通則化することは、ヨーロッパの諸研究の報ずるところとは合はなくなる。否、アメリカにおいてさへ、移住民の方が高率に現れてゐるものもないわけではないのである。(8)

アメリカの移住民といふのは母國においてはあまり優良な集團に屬しない者を多く含んでゐる。一九二〇年の國勢調査の結果によると、アメリカにおける外國生の移住民は約一、四〇〇萬人であるが、その四八・六%は北ヨーロッパから、五〇・一%は南ヨーロッパから、一・三%はアジアから渡航した者であり、その文化程度はかなり低いもので、全數の一一%すなはち約一五〇萬人は英語を解することなく、一三%すなはち一七〇萬人は全く文盲で自己の姓名を記すことすら出來ず、何語も讀むこと能はざる者である。さうして全數の七五%は特別の技能を全然持たないので、鑛山、工場、店舖で働いてゐるといふ状況であるから、(9) これらの職業關係を見ると、本來甚しく犯罪率の高い種類の職業に從事してゐることがわかる。それにも拘らずその犯罪率がアメリカ本來の住民よりも低率であるといふのは甚だ異とするに足る。嚴密なことは今後の研究に俟たなければならないが、今暫定的にその理由を求めるとすれば、おほよそ三つのことが想定される。第一にはヨーロッパにおける移住民がアメリカの移住民よりも犯罪學上惡い條件のもとにあるといふことになるか、第二にはアメリカにおいては移住民に對する刑事司法が特別に寛大であるといふことになるか、然らざれば第三にはアメリカ本來の住民が特に犯罪的傾向を顯著に帶有することを意味するか、そのいづれかであらう。然るに、第一の理由は最も蓋然性に乏しい。といふのは、アメリカにおける移住民の如く犯罪誘發的條件を具備したものにも增して、ヨーロッパ諸國の移住民が犯罪誘發的條件を多く具備してゐると容易には考へ難いからである。しかし勿論さういふことが絕對にないとはいへない。もつとこの間の事情を知り得るに至れば、この點は解明されるであらう。次に、第二の理由であるが、諸民族の混成國家たるアメリカの國情からいふと、二三の例外を除き、一般に外來者に對して寛大であるといふことも考へ得ないことではない。しかし同時に、第三の理由も同じやうに蓋然性がある。それのいづれが主要な理由であるかについては、斷定をなほ憚らねばならぬ。

わが國に來朝せる外來移住民の犯罪については、いま大正九年から昭和一二年までの資料が「日本帝國統計年鑑」によつて判明してゐる。大正八年以前は該年鑑等にその記載なく、昭和一三年以降の

民犯罪人國籍別表

ロシア		支那		その他		計	
實數	比率	實數	比率	實數	比率	實數	比率
0	0	0	0	1	1.87	1	0.18
0	0	12	3.20	0	0	12	2.20
0	0	1	0.26	0	0	1	0.18
0	0	17	4.54	0	0	17	3.12
4	17.75	15	4.01	0	0	22	4.04
0	0	1	0.26	0	0	1	0.18
1	4.43	323	86.39	0	0	324	59.63
0	0	31	8.29	0	0	33	6.07
0	0	1	0.26	0	0	1	0.18
0	0	2	0.53	0	0	2	0.36
0	0	2	0.53	0	0	2	0.36
1	4.43	572	153.00	1	1.87	576	106.01
0	0	2	0.53	0	0	2	0.36
1	4.43	23	6.15	1	1.87	25	4.60
6	26.63	121	32.36	23	43.16	161	29.63
0	0	1	0.26	0	0	13	2.39
0	0	4	1.06	0	0	4	0.73
1	4.43	0	0	0	0	1	0.18
0	0	0	0	0	0	0	0
0	0	3	0.80	0	0	3	0.55
7	31.07	587	157.01	9	16.89	604	111.16
4	17.75	62	16.58	6	11.26	80	14.72
0	0	13	3.47	1	1.87	16	2.94
0	0	55	14.71	0	0	55	10.12
0	0	1	0.26	0	0	3	0.55
25	110.98	1,849	449.58	42	78.83	1,959	390.56

第　．四

日本における移住

國別 罪名	イギリス		アメリカ		ドイツ	
	實數	比率	實數	比率	實數	比率
國交	0	0	0	0	0	0
公務妨害	0	0	0	0	0	0
逃走	0	0	0	0	0	0
騷擾	0	0	0	0	0	0
放火・失火	2	5.36	0	0	1	5.10
住　[illegible]	0	0	0	0	0	0
阿片煙	0	0	0	0	0	0
通貨僞造	2	5.36	0	0	0	0
文書僞造	0	0	0	0	0	0
有價證券僞造	0	0	0	0	0	0
猥褻・姦淫	0	0	0	0	0	0
賭博・富籤	0	0	2	5.43	0	0
瀆職	0	0	0	0	0	0
殺人	0	0	0	0	0	0
傷害	5	13.40	5	13.59	1	5.10
過失傷害	4	10.72	6	16.31	2	10.21
遺棄	0	0	0	0	0	0
脅迫	0	0	0	0	0	0
名譽	0	0	0	0	0	0
信用・業務	0	0	0	0	0	0
竊盜・强盜	0	0	1	2.71	0	0
詐欺・恐喝	4	10.72	2	5.43	2	10.21
横領	2	5.36	0	0	0	0
贓物	0	0	0	0	0	0
不詳	2	5.36	0	0	0	0
合計	21	56.29	16	43.50	6	30.64

分は本篇記述の時には未だ公刊資料を入手してゐなかつたから、右一八年間の資料を基礎とし、イギリス、アメリカ、ドイツ、ロシア、支那、その他の六分類により國籍別をあきらかにした罪名別表を作つてみた。それが第四表である。「實數」はすべてこの一八年間に第一審裁判所において有罪宣告を受けた刑法犯人の總數を合算した數であり、「比率」は一年當り各一般人口一〇萬についての右有罪犯人出現率である（一八年間の犯罪人數を同一期間内の同一國籍の一般人口を以て除した數を一〇萬倍したものである。但し右一八年中大正一四年の一般人口は資料を缺くので、大正一三年の一般人口を二重に使用して右一八年間の延人口の概數を計出した）。

本表を見て直ちに氣付くことは、單に移住民總數からみると、非常に多いが、各國籍別に見れば、すべての國の者が本來の住民より犯罪率が高いことにはならぬといふことである。因に昭和一〇年度日本內地における第一審有罪刑法犯人の一般人口一〇萬に對する比率は一七四・七三名であつて、毎年ほゞこの程度の比率を示してゐるから、外國人の刑法犯人に關する本表の比率三六〇・五六名は約二倍の高率なることを表してゐるが、ドイツ人三〇・六四名、アメリカ人四三・五〇名、イギリス人五六・二九名等は極度に低く、ロシア人も日本內地の刑法犯一般犯罪率よりはよほど低い。たゞ支那人だけが高率なのである。恐らくは移住民の經濟的地位、文化的教養等がかゝる結果を左右してゐるものであらう。またわが國においては、監獄給養の狀態が歐米人にとつて頗る都合の悪い狀況にあるため、歐米人に對して自由刑を科するについては、戰前においても躊躇されるのを常としたから、この點も彼等の犯罪率を外觀上特に低からしめるに一班の役は演じてゐるであらう。日本の本來の住民の犯罪と比較してその罪質を論ずるには、日本における外國人は支那人を除いてはあまりに少數に過ぎるから暫く措くが、要するに、一般的に移住民の犯罪率は本來の住民のそれよりも高いときめてしまふことは出來ない。さういふ法則的なものの存在を理論上支持し得ざることは既に述べたところであるが、わが國にもかゝる實證的事實が橫たはつてゐるといふことをこゝに示すことになるのである。

移住民に關する諸種の事情は、一般にその犯罪率を高からしめるやうなものを多く含んではゐる。しかし、移住地と母國との關係によつては必ずしもかゝる不良條件を具備した者が多く移住するとは限らない。わが國に來朝する歐米人のうちにはむしろ經濟的雄飛者か文化的先導者かを比較的多く含んでゐるが、終戰前來朝の支那人にはむしろその反對の事情があつた。ゆゑに、移住民の犯罪が多かるべきを一般的には一應豫期し得るとしても、常に必ずしもさうであるとはいへないのである。

註（1）Bagley, William C., Education, Crime and Social Progress, 1931, p. 21.
（2）Abott, Edith, Statistics Relating to Crime, 1915, p. 59. (Gault, Robert H., Criminology,

1932, Pp. 199 による）

（3）Sutherland, Edwin H., Criminology, 5th. imp., 1924, p. 98.

（4）Ettinger, Clayton J., The Problem of Crime, 1932, p. 114.

（5）同上。

（6）Healy, William, and Bronner, Augusta F., Delinquents and Criminals, Their Making and Unmaking, 1926, Pp. 106.

（7）Exner, Franz, Volkscharakter und Verbrechen, Mon. f. Kriminalpsychol. 1938. Jg. 29, S. 408.

（8）曩にあげたロンブローゾの記載を初として、Sutherland, Op. cit., p. 101. にもその例證が見られる。

（9）Ettinger, Op. cit., p. 108.

第五章　所謂第二世の犯罪性

移住民と本來の住民との差異を論ずるにつき、非常に貴重な資料となるのは移住民第二世である。アメリカにおいては、この第二世は所謂移民問題に特別の關係を有し、移住民の市民權問題とも絡んで、看過すべからざる意味を有するので、特にこれに關する研究が盛に行はれてゐる。この所謂第二世は血液的には外來でありながら、環境的にはアメリカ化されてゐるわけであり、なかば本來の住民に近く、なかば移住民的であるといふ點でまさに兩者の中間に存在し、恰も遺傳現象における混血兒の如きものとして、いはゞ犯罪學的實驗の結果を見るやうな意味を持つてゐる。以下、外國で生れて後にアメリカへ移住して來た第一世代の者を「外來移住民」と稱し、その子弟にしてアメリカで生育した者を「移住民第二世」と呼ぶことにする。兩親の一方が移住民である者もこの「移住民第二世」中に含まれる。また本來の住民についても、これらと對照する意味では、兩親も本人もアメリカ生の白人に限られるから、これを假に「純アメリカ白人」と呼んで置くことにする。

これらについて最も周到精密な研究を發表してゐるのはストッフレット (Elliot Holms Stofflet) である。この研究に用ゐられた資料は甚だ精密な分析を經てゐるから、從來の粗笨な資料に基く研究結果に對して大なる修正を要求するものといつてよからう。いまその一端を簡敍する。

彼は一九二八年七月一日から一九三四年一二月一〇日までの間にトレントンのニュージャーシー州立監獄 (The New Jersey State Prison) に收容された三、一八一名(ニグロを含まず)を調査したが、その主なる族系構成は純アメリカ白人は一、〇〇六名、イタリア系外來移住民二九五名、同第二世四、一五名、ポーランド系外來移住民八九名、同第二世一六〇名、ドイツ・オーストリー系外來移住民八六名、同第二世一二七名、ロシア系外來移住民五一名、同第二世六四名、ハンガリー・チェッコスロヴァキア系外來移住民四七名、同第二世四六名、イングランド・スコットランド・カナダ系外來移住民三五名、同第二世六六名、アイルランド系外來移住民一八名、同第二世一六四名等である。(1)

まづ標準として純アメリカ白人の在監人の犯罪種別を見るに、第五表(2)に示す如く、盗罪が全犯罪の五一・六%、性的犯罪一三・六%、傷害六・三%、殺人三・九%といふ結果になつてゐる。これを標準にして、各國の移住民犯罪の罪質をこれに比べてみると、外來移住民は一般にこの標準との間に大きな距離を有するが、移住民第二世はこの距離を甚だ縮少し、場合によつては外來移住民によりもむしろ純アメリカ白人の方に近似してしまつてゐることがある。

イタリア系についてこれをみるに、第六表(3)の如く外來移住民にあつては殺傷罪の如き暴力犯が支配的で、性的犯罪も强盜もこれに準じて多い、要すに全體として暴力を用ゐるやうな犯罪が多いのである。然るに移住民第二世においては、故殺は十分有意味な差異を以て減じてゐるし、性的犯罪も減少し、傷害も多少減じてゐるらしいが、盜罪の方は反對に增加してゐるのであるから、あきらかに罪質は第二世においてアメリカ化してゐる。この第二世犯罪のアメリカ化の現象は犯罪の動機の方面にも見られる。たとへば殺人の動機は、イタリア系外來移住民においては、不和とか自己もしくは家族の名譽の保持とかいふやうな感情的動機による殺人が八八%を占め、その三分の一は飲酒を伴ふ。然るに同

第五表

純アメリカ白人囚の罪名別

罪名	實數	%
殺人	39	3.9
傷害	63	6.3
性	137	13.6
强盗	127	12.6
夜盗	246	23.5
竊盗	146	14.5
その他	248	24.7
合計	1,000	100.1

第六表（その一）

イタリア系移住民の外來者と第二世との罪名別比較

罪名	外來移住民		移住民第二世		兩者の差異 (D/s:g. D.)
	實數	%	實數	%	
殺人	48	16.3	22	5.3	4.56
傷害	50	16.9	53	12.8	1.5
性	55	18.7	42	10.1	3.17
强盗	39	13.2	135	32.5	6.36
夜盗	18	6.1	55	13.2	3.24
竊盗	19	6.4	26	6.2	0.216
その他	66	22.4	82	19.7	0.868
合計	295	100.0	415	99.8	—

第六表（その二）

イタリア系移住民と純アメリカ白人との罪名別比較(%)

罪名	A 純アメリカ白人	B 外來移住民	A.Bの差異 (D/sig. D.)	C 移住民第二世	A.Cの差異 (D/sig. D.)
殺人	3.9	16.3	5.54	5.3	1.13
傷害	6.3	16.9	4.59	12.8	3.6
性	13.6	18.7	2.03	10.1	1.91
強盜	12.6	13.2	0.269	32.5	7.88
夜盜	24.5	6.1	9.48	13.2	5.28
竊盜	14.5	6.4	4.5	6.2	5.14
その他	24.7	22.4	0.827	19.7	2.03
合計	100.1	100.0	—	99.8	—

移住民第二世では同様の動機に出づる者は三分の一に減少してゐるし、しかも全二一例中飲酒を伴ふものは僅に一例に過ぎぬ。これに反して財物領得を動機とする殺人は外來移住民においては一〇%に過ぎないが、同第二世においては五〇%に昇つてゐる。(4) これはイタリア系外來移住民の本來持つてゐた罪質上の感情性なる特徴が第二世に至つて純アメリカ白人の有する財産犯への傾向に接近したことを意味する。これと同様の現象は傷害においても見られる。すなはちイタリア系外來移住民の傷害事例中四二例の動機が判明してゐるが、そのうち三七例（全四二例の八八%に相當する）は感情的動機のために行はれ、その五分の一は飲酒を伴つてゐる。然

ゐるに同第二世においては、五三名中二七名（五一％）は財物強取を目的とするものである。(5) こゝでも感情的理由による暴力行使から財物領得のための暴力行使へと罪質が變化してゐる。

轉じてポーランド系外來移住民を見ると、第七表に示す如く、その外來移住民においては傷害最も多く、殺人、性的犯罪、夜盜などが第二位、竊盜、強盜は寧ろ少い。然るに移住民第二世においては夜盜が甚しく增加して、純アメリカ白人を凌ぐ高率となつてゐる。強盜は激增し、竊盜も多少增加の傾向を見せてゐるが、傷害は反對に明白な減少を示し、殺人や性的犯罪の如きも減少傾向を見せてゐる。(6) 要するに、ポーランド系もイタリア系と同樣に、その犯罪傾向を第二世においてアメリカ化してゐることがあきらかである。この現象は殺人や傷害の動機にも見られる。ポーランド系外來移住民の殺人は常にもつぱら感情的動機に基いて行はれ、しかも飲酒を伴ふものが一例もないといふ點を特色とする。數が少いから斷定は出來ないが、とにかく、領得的動機によるものが全然ないのは注目に値する。然るにその第二世においては全一〇例中半數までが強盜のためにする殺人を動機としてゐる。(7) 傷害においてもこの關係は同樣であつて、ポーランド系外來移住民では二七例中たつた一例だけが財物強取のために行はれたに過ぎないが、同第二世にあつてはその同じ犯罪一四例中一〇例までが強盜と結びついてゐる。この第一世から第二世への變化は、イタリア系移住民について認められたのと全

第七表（その一）

ポーランド系移住民の外來者と第二世との罪名別比較

罪名	外來移住民		移住民第二世		兩者の差 (D/sig. D.)
	實數	%	實數	%	
殺人	12	13.5	10	6.3	1.76
傷害	27	30.3	14	8.7	4.03
性	11	12.4	12	7.5	1.21
強盜	8	8.9	37	23.1	3.16
夜盜	10	11.2	57	35.6	4.64
竊盜	6	6.7	17	10.6	1.03
その他	15	16.8	13	8.1	1.93
合計	89	99.8	160	99.9	—

第七表（その二）

ポーランド系移住民と純アメリカ白人との罪名別比較（%）

罪名	A 純アメリカ白人	B 外來移住民	A.Bの差異 (D/sig. D.)	C 移住民の第二世	A.Cの差異 (D/sig. D.)
殺人	3.9	13.5	2.34	6.3	1.19
傷害	6.3	30.3	4.86	8.7	1.02
性	13.6	12.4	0.33	7.5	2.60
強盜	12.6	8.9	1.13	23.1	2.33
夜盜	24.5	11.2	3.69	35.6	2.59
竊盜	14.5	6.7	2.75	10.6	1.47
その他	24.7	16.8	1.88	8.1	6.47
合計	100.1	99.8	—	99.9	—

く同様である。(8)

ロシア系移住民においては、第八表に示す如く、その外來者の特徴は放火の多いことにある。放火一四例中丁度半數はユダヤ人が犯してゐる。竊盗も多いやうであるが、ロシア人は屑物屋を營む者が多いので、この職業上の關係から贓物故買を行ひ、それが本項目中に組入れられた結果である。從つて本罪が第二世において減少してゐるのは、その職業の變化によつて說明され得る。强盗、夜盗の如き領得罪が第二世において多くなつてゐるのも、前述のイタリア系、ポーランド系におけると全く同樣である。たゞ殺人や傷害が第二世において却つて增加してゐるのはロシア系移住民において特に見られる異例である。ストッフレットもこの點については適切な說明を與へてゐない。最も注目すべき變化は放火において見られる。放火は曩にいつたやうに、ロシア系外來移住民においては非常に多いのであるが、同第二世においては全犯罪六四例中僅に一例を存するのみである。純アメリカ白人に放火の少いことは、標準として掲げた第五表中にその項目のないのでもわかる。彼等にあつては放火は總數一、〇〇六名の在監人中七名あるのみなのである。ゆゑに、ロシア系外來移住民に甚だ高率に見られた放火が、その第二世においてかく激減したといふことは、あきらかに犯罪のアメリカ化の適例を示すものといはなければならぬ。(9)

ドイツ系とオーストリー系とは合算して整理されてゐる。實數が少いので合算したのであらうが、犯罪傾向としてはオーストリー人とドイツ人とは本來相當違ふ面もあるのであるから[10]、これを一括したために變貌した嫌があるかと思ふ。それはともかくとして、第九表に示す如く、性的犯罪や傷害が著しく多く、イタリア系、ポーランド系などに比べると殺人が少いことが目立つ。性的犯罪と傷害とを除けば、一般にこの系統の外來移住民と純アメリカ白人とは大差がないが、同第二世は若干性的犯罪と傷害とを減じてゐるといふ點でやはりアメリカ化の傾向を示してゐる。かゝる傾向は傷害の動機の變化のうちにも見られる。すなはち外來移住民の傷害一六例中強盗の意志あるものは一例に過ぎないが、その第二世においてはそれが二一例中八例の多きに上つてゐるのであつて、純アメリカ白人の領得罪好發傾向に接近してゐる。強盗や夜盗の増加も同様の事實を裏書してゐる[11]。

ハンガリーおよびチェッコスロヴァキア系は甚だ少數であるから、今までに述べて來た他の諸族系に關する事實を支持するに役立つ程度の意味しか持たない。第一〇表によれば、傷害は右兩國系の外來移住民においては甚だ多いが、同第二世においては激減し、兩者間の差は十分信頼し得る數値を示してゐる。殺人も第二世に至つて減少してゐる。性的犯罪においては外來移住民が初から純アメリカ白人より低率なのであるが、それが第二世になると一層低率になつてゐる。これに反してすべての盜

第　八　表（その一）

ロシア系移住民の外來者と第二世との罪名別比較

罪　　名	外來移住民		移住民第二世		兩者の差異 (D/sig. D.)
	實　數	%	實　數	%	
放　　火	14	27.4	1	1.6	3.23
殺　　人	1	2.0	4	6.2	1.17
傷　　害	6	11.7	10	15.6	0.61
性	3	5.9	8	12.5	1.25
強　　盜	5	9.8	14	21.9	1.83
夜　　盜	4	7.8	12	18.7	1.77
竊　　盜	9	17.6	6	9.4	1.26
そ　の　他	9	17.6	9	14.1	0.508
合　　計	51	99.8	64	100.0	—

第　八　表（その二）

ロシア系移住民と純アメリカ白人との罪名別比較(%)

罪　　名	A 純アメリカ白人	B 外來移住民	A.Bの差異 (D/sig. D.)	C 移住民第二世	A.Cの差異 (D/siS. D.)
殺　　人	3.9	2.0	0.93	6.2	0.74
傷　　害	6.3	11.7	1.18	15.6	2,02
性	13.6	5.9	2.22	12.5	0.26
強　　盜	12.6	9.8	0.65	21.9	1.76
夜　　盜	24.5	7.8	4.18	18.7	1.14
竊　　盜	14.5	17.6	0.57	9.4	1.34
そ　の　他	24.7	17.6	1.29	14.1	2.32
合　　計	100.1	74.41	—	9.4*	…

＊放火を省く

第九表（その一）
ドイツ・オーストリー系移住民の外來者と第二世との罪名別比較

罪名	外來移住民 實數	外來移住民 %	移住民第二世 實數	移住民第二世 %	兩者の差異 (D/sig. D.)
殺人	5	-5.8	4	3.1	0.92
傷害	16	18.6	21	16.5	0.394
性	18	20.9	12	9.5	2.24
强盜	7	8.1	19	15.0	1.6
夜盜	11	12.7	28	22.0	1.81
竊盜	9	10.5	13	10.2	0.0704
その他	20	23.2	30	23.6	0·0668
合計	86	99.8	127	99.9	—

第九表（その二）
ドイツ・オーストリー系移住民と純アメリカ白人との罪名別比較

罪名	A 純アメリカ白人	B 外來移住民	A.Bの差異 (D/sig. D.)	C 移住民第二世	A.Cの差異 (D/sig. D.)
殺人	3.9	5.8	0.73	3.1	0.33
傷害	6.3	18.6	2.88	16.5	3.01
性	13.6	20.9	1.62	9.5	1.84
强盜	12.6	8.1	1.44	15.0	0.72
夜盜	24.5	12.7	3.07	22.0	0.64
竊盜	14.5	10.5	1.15	10.2	1.57
その他	24.7	23.2	0.31	23.6	0.27
合計	100.1	99.8	—	99.9	—

第一〇表（その一）

ハンガリー・チェッコスロヴァキア系移住民の外來者と第二世の罪名別比較

罪名	外來移住民		移住民第二世		兩者の差異（D/sig. D.）
	實數	%	實數	%	
殺人	4	8.5	2	4.3	0.83
傷害	15	31.9	3	6.5	3.29
性	4	8.5	2	4.3	1.81
強盜	1	2.1	10	21.7	3.04
夜盜	4	8.5	17	36.9	3.46
竊盜	4	8.5	5	10.9	0.39
その他	15	31.9	7	15.2	1.85
合計	47	99.09	46	99.8	—

第一〇表（その二）

ハンガリー・チェッコスロヴァキア系移住民と純アメリカ白人との罪名別比較（%）

罪名	A 純アメリカ白人	B 外來移住民	A.Bの差異（D/sig. D.）	C 移住民第二世	A.C の差異（D/sig. D.）
殺人	3.9	8.5	1.36	4.3	0.13
傷害	6.3	31.9	3.74	6.5	0.0538
性	13.6	8.5	1.21	4.3	2.93
強盜	12.6	2.1	4.49	21.7	1.47
夜盜	24.5	8.5	3.73	36.9	1.70
竊盜	14.5	8.5	1.45	10.9	0.76
その他	24.7	31.9	0.97	15.2	1.73
合計	100.1	99.9	—	99.8	—

罪は第二世に至つて増加し、その數の上では却つて純アメリカ白人以上に及んでゐる。以上の如き人身に關する罪の減少と財産に關する罪の增加とによつて、この兩國系移住民についても、その第二世のアメリカ化の現象を見る。

イングランド系、スコットランド系およびカナダ系の三者も甚だ少數であるが、第一一表に示すやうに、夜盜と强盜とが移住民第二世において增加してゐることが明白に觀取される。やはり前敍諸族とその揆を一にするのである。(13)

如上諸族系に關する考察を綜合するため、各出身國に關係なく集計してみたものが第一二表であるが、竊盜以外の諸罪については、外來移住民と移住民第二世との差は信賴し得る程度の差異であるから、このやうな變化が現實にあるものと見てよいであらう。概括的にいへば一般に移住民第二世においては暴力犯が減じて領得犯が增加し、アメリカ本有の領得犯への傾向に接近するわけである。而白いことには、移住民第二世は强盜のやうな、暴力犯と領得犯との兩性質を兼有する犯罪を犯す傾向が甚だ大きいのである。(14) ギャングの組織や參加は外來移住民には殆んどないが第二世に多い。(15) エッティンガーによれば、シカゴのギャングの大部分は貧困な移住民社會の現象で、人種と出身國系統とのわかつてゐる八八〇名のギャング中純アメリカ白人は僅に四五名に過ぎず、白人と有色人との混血が二五名

第一一表（その一）
イングランド・スコットランド系移住民の外來者と第二世との罪名別比較

罪名	外來移住民		移住民第二世		兩者の差異 (D/sig. D.)
	實數	%	實數	%	
殺人	2	5.7	3	4.5	0.42
傷害	6	17.1	8	12.1	0.66
性	4	11.4	6	9.1	0.62
强盜	4	11.4	16	24.2	1.7
夜盜	5	14.3	14	21.2	0.89
竊盜	7	20.0	5	7.6	1.65
その他	7	20.0	14	21.2	0.14
合計	35	99.9	66	99.9	—

第一一表（その二）
イングランド・スコットランド系移住民と純アメリカ白人との罪名別比較（%）

罪名	A 純アメリカ白人	B 外來移住民	A.Bの差異 (D/sig. D.)	C 移住民第二世	A.Cの差異 (D/sig. D.)
殺人	3.9	5.7	0.45	4.5	0.23
傷害	6.3	17.1	1.68	12.1	1.42
性	13.6	11.4	1.44	9.1	3.10
强盜	12.6	11.4	0.22	24.2	2.15
夜盜	24.5	14.3	1.68	21.2	0.64
竊盜	14.5	20.0	0.80	7.6	2.00
その他	24.7	20.0	0.68	21.2	0.67
合計	100.1	99.9	—	99.9	—

第一二表　(その一)
移住民の外來者と第二世との罪名別比較(總計)

罪　　名	外來移住民		移住民第二世		兩者の差異(D/sig. D.)
	實　數	%	實　數	%	
殺　　人	72	11.9	45	5.1	4.51
傷　　害	120	19.9	109	12.4	3.81
性	82	13.6	67	7.6	3.63
强　　盜	64	10.6	231	26.3	8.10
夜　　盜	52	8.6	183	20.8	6.89
竊　　盜	54	8.9	72	8.2	0.47

第一二表　(その二)
移住民と純アメリカ白人との罪名別比較(%)(總計)

罪　　名	A 純アメリカ白人	B 外來移住民	A.Bの差異(D/sig. D.)	C 移住民第二世	A.Cの差異(D/sig. D.)
殺　　人	3.9	11.9	5.52	5.1	1.25
傷　　害	6.3	19.9	7.61	12.4	4.57
性	13.6	13.6	0.0	7.6	4.26
强　　盜	12.6	10.6	1.09	26.3	6.82
夜　　盜	24.5	8.6	10.11	20.8	2.10
竊　　盜	14.5	8.9	3.13	8.2	3.84

ニグロが六三名、出身國の異れる白人間の混血が三五一名、殘る三九六名が大體單一外國の出身者であるが、ギャング全體を通じて、外來移住民は極く少く、彼等の多くは父母の一方が外來移住民であるといふ。[16] かゝる一般傾向は、經濟的地位、技能的地位に應じて、それぞれ相照應する者の集團のみを相互に比較しても、結果において等しく認められる。ストッフレットはこの分析を細密に行つてゐるが、なほ如上の傾向を否定すべき事實は認められないのである。[17]

アメリカにおける移住民が若き世代においてアメリカ化されるといふことは極めて顯著な事實である。このことは他の學者も亦他の資料によつて認容するところである。[18] これがアメリカ特有の強大な同化力によるものか、或は一般に移住民が移住地に同化するといふ通則に歸せらるべきものかはまだ證明されてゐないが、興味ある現象として注目せねばならぬ。とにかく、或る民族の犯罪的特性といふやうなものは、必ずしも幾世代にも亙つて保持される遺傳的素質でないといふことは、以上の事實からこれを知ることが出來る。

註（1）Stofflet, Elliot Holmes, A Study of National and Cultural Differences in Criminality, Archives of Psychology, No. 185, 1935, p. 19.

（2）Stofflet, Op. cit., p. 24, Table III を簡明化したものである。

（3）Stofflet, Op. cit., p. 25, Table IV

（4）S offlet, Op. cit., Pp. 34.
（5）Stofflet, Op. cit., Pp. 35.
（6）Stofflet, Op. cit., Pp. 37.
（7）Stofflet, Op. cit., Pp. 38.
（8）Stofflet, Op. cit., Pp. 39.
（9）Stofflet, Op. cit., Pp. 41.
（10）植松正「諸民族の犯罪性」、刑政、五七卷八八頁以下、昭和一九年。（本書第一篇五七頁以下）。
（11）St fflet, Op. cit., Pp. 40.
（12）St fflet, Op. cit., Pp. 42.
（13）Stofflet, Op. cit., Pp. 43.
（14）Stofflet, Op. cit., Pp. 44.
（15）Stofflet, Op. cit., Pp. 51.
（16）Ettinger, Op. cit., Pp. 114.
（17）Stofflet, Op. cit., Pp. 46.
（18）Sutherland, Op. cit., Pp. 101.

第六章　結　語

上來述べ來つたところを要約すれば次の如くなる。

移住民の犯罪性に關しては、それが本來の住民のそれより高率なることが指摘されてゐるが、それは主としてヨーロッパ諸國における事實を基礎にしたものであつた。比較的新しいアメリカの事情を基礎とすれば、却つてこれと反對に移住民の方が低い犯罪率を示してゐるといふことになる。そこで古くから主にヨーロッパで觀取された事實に注目する學者は移住民の犯罪率は高いといひ、アメリカの新しい研究に留意する學者は移住民の犯罪率を低いのが通則であると思つてゐる。しかし移住民の犯罪率がその地の本來の住民のそれに比して高率であるか否かといふことは、いふまでもなく相對的なものであるから、世界各地どこへ行つても常に移住民の方が高率であるとか、或は低率であるとかいふことはいひ得ない。しかし移住民に關する諸般の事情は、ハッケルが指摘したやうに、極めて犯罪誘發的な條件を多く藏してゐるのであるから、移住民はその母國在住民に比べれば、やはり高い犯罪率を示すものと豫期してよいわけである。既に述べたやうに、移住民とその母國在住民とは各〻その犯罪率を直接に比較するに適當でない事情があるから、この點を實證的に解決すべき研究を從來見ないのであるが、移住民の犯罪性の高かるべきことは、それが多樣なる不利の條件を帶有するといふ點からみて、當然に豫期されるところである。從つて我々は常則的にはアメリカのやうな狀態よりはむしろヨーロッパ諸國におけるやうな狀態の生ずべきを想はねばならぬ。アメリカにおけるが如く、本來の住民より移住民の方が犯罪狀態が良好であるといふことが屢〻見られるとすれば、それはその移住民が何等か特別に優良な條件下にある者の集團であるか、然らざれば本來の住民が甚しく犯罪率が高くあるかでなければならぬ。

かくて自然の狀態においては、移住民の犯罪性の高かるべきが當然だとすれば、わが國における外來移住民に對する刑事政策も、またわが國民にして在外する者に對する刑事政策も、この事實から出發せねばならぬ。しかも前記の如き移住民の犯罪率を高からしむべき諸般の事情を除去せんには、單なる狹義の刑事政策を以てして足るものではない。廣く一般の社會政策をも含めての意味における刑事政策によつてこそその目的を達し得る。既にアメリカが移住民の入國について種々の制限を設けて來たことは周知の如くであるが、そのうちにはこのことも考慮に入れられてゐたやうである。それは前示のハッケルの論篇その他多くの刑事學者の論述のうちに屢〻言及されてゐるのでもあきらかである。

わが國においては、從來あまり外來移住民の問題を深刻に考慮するやうな機會に乏しかつたが、今後は當然これに大きな關心を持たなければならない。また反對に、わが國民で外國など他に赴く者に關して、十分これを考へなければならない。不良分子を多く移住させることによつて、國家の信用を失墜せしむるが如きことがあつてはならぬ。このことは、いまさら著者の言を用ゐるまでもないことで、既に明治以來外地への移住者についての不評な經驗を積んだ政府が、滿洲事變後は著しくこの點に留意した政策をとり、殊に南方諸地域に對しては一段とその政策を强化してゐたやうに窺はれる。この點はまことに至當の策であつたといふべきである。

移住民犯罪の問題についてもう一つ注意しなければならないのは、アメリカにおける移住民第二世のアメリカ化の現象である。これは敢て犯罪のことに限らず、一般的な問題として夙に識者の注意を喚起してゐることである。犯罪におけるアメリカ化といふ事實の實證は、一般的なアメリカ化の現象がたまたま犯罪といふ社會現象の一端を借りて現れたといふに過ぎないのである。犯罪に見られるアメリカ化の現象から、我々は一般的心性におけるアメリカ化といふことを想はねばならぬ。果してこの現象がアメリカ在住の移住民に限るか否かは遽に決定し難い。むしろことがらの自然の觀察としては、他の移住地においてもかなり類似の現象が見られ得るのではあるまいかと思はれる。

最後に、外來移住民の犯罪上の特色ともいふべきものが、かく移住民第二世に及んで移住地の環境に即應した變貌を結果するとすれば、ある民族の遺傳的素質にも比すべき恒常的な犯罪特性なるものは、假に若干あるとしても、さう根强いものでもなし、またさう數多く存するものでもないといふことを思はせる。これが移住民の犯罪性に關する考察から導かれた犯罪原因論上の一つの到達點であるといはなければならぬ。

第三篇　日本在留外國人の犯罪

第一章　序　說

由來わが國は、その地理的事情と文化的特殊性とから、歐米よりの來朝者をあまり多く持たなかつた。ヨーロッパ諸國の如く文化系統において多分に相互共通性を有し、地理的にも陸續きであるならば、當然外國人の移住滯在も多數に上るわけである。またアメリカの如く諸民族の混成國家であるものは、既に國民の人口構成自體において恰も外國人を含んでゐるやうなものであり、且各出身國の母國民との交通も頻繁となるから、嚴格な意味での外國人の來住も多くなり易い。然るにわが國は全くこれらの點において事情を異にし、僅に支那人だけが從來多數を占める在留外國人であつたに過ぎない。從つて日本在留外國人中數字的に常にはつきりした意味を持つのは支那人だけであるといつてよい。そこで、本篇がひと通り外國人の犯罪全般に考慮を拂ふことにはなつても、支那人に關する部分の多くなることは、勢の免れざるところである。

わが國における外國人の犯罪については、司法省の「刑事統計年報」および内閣の「日本帝國統計年鑑」に大正九年以降その記載が見られる。一九三三年（昭和八年）にレーゼネル（Roesener）が日本は外國人の犯罪に關する統計を示さないといつてゐる[1]のは訂正せらるべきである。昭和一三年以後の公刊資料はまだ入手してゐないから、大正九年から昭和一二年までの一八年間の資料を處理してみることにする。この場合、判明してゐるのは第一審有罪者についてだけであるから、本篇において論ずる「犯罪」とはすべて第一審有罪者に關することである。

第一審有罪者に關する資料は必ずしも犯罪現象そのものの實相を如實に語るとはいへない。「知られざる犯罪」は勿論研究し能はざるものであるから、これは論外とするとしても、「知られたる犯罪」必ずしもすべて檢擧されるわけではないから、出來得べくんば犯罪發生數によるべきであり、更にこれに準ずるものとしては警察官の處理事件に從ふか、檢事の受理事件に據るかする方が、第一審有罪者數によるよりはよほど眞相に近いことといふまでもない。然るに、わが國を始として各國の犯罪統計は、第一審有罪者に關するものに限つて詳報を與へてゐるのであつて、わが國における外國人の犯罪の如きも、第一審有罪者についてだけこれを知り得るやうになつてゐる。

いま外國人犯罪を取扱ふに當つて、第一審有罪者數を基礎とするのは、右の如く止むを得ざるに出づるものである。

註（1）Roesener, Ernst, Ausländer: Elster u. Lingemann, Handwörterbuch der Kriminologie, 1933, Bd. 1, S. 95.

第二章　在留諸國民の犯罪

まづ日本内地における前記一八年間の外國人第一審有罪犯人の數を、罪名と國籍とを區分して示すと第一表および第二表の如くなる。

第一表は刑法犯、第二表は特別法犯を示す。

第一表における「實數」とは右一八年間の總人員數を示し、「比率」とあるのは一般人口一〇萬に對する右有罪犯人の一年當り出現率を示したものである。計算の基礎につき一例をあげれば、支那人の賭博・富籤の罪につき第一審有罪者は一八年間總計五七二名であるが、同じ一八年間の在留支那人人口總計は三七三、八四八名であるから、五七二名を三七三、八四八で除して、これに一〇萬を乘ずれば、支那人の有罪者が一般支那人人口一〇萬に對し一年平均何名の割合を以て現れるかを知ることが出來る。かくの如くにして各比率を算出したのである。但し右一八年の期間中大正一四年度については國籍別

表

名・國籍別（刑法犯第一審有罪者）

ロシア		支那		その他		計	
實數	比率	實數	比率	實數	比率	實數	比率
0	0	0	0	1	1.87	1	0.18
0	0	12	3.20	0	0	12	2.20
0	0	1	0.26	0	0	1	0.18
0	0	17	4.54	0	0	17	3.12
4	17.75	15	4.00	0	0	22	4.04
0	0	1	0.26	0	0	1	0.18
1	4.43	323	86.39	0	0	324	59.63
0	0	31	8.29	0	0	33	6.07
0	0	1	0.26	0	0	1	0.18
0	0	2	0.53	0	0	2	0.36
0	0	2	0.53	0	0	2	0.36
1	4.43	572	153.00	1	1.87	576	106.01
0	0	2	0.53	0	0	2	0.36
1	4.43	23	6.15	1	1.87	25	4.60
6	26.63	121	32.36	23	43.16	161	29.63
0	0	1	0.26	0	0	13	2.39
0	0	4	1.06	0	0	4	0.73
1	4.43	0	0	0	0	1	0.18
0	0	0	0	0	0	0	0
0	0	3	0.80	0	0	3	0.55
7	31.07	587	157.01	9	16.89	604	111.16
4	17.75	62	16.58	6	11.26	80	14.72
0	0	13	3.47	1	1.87	16	2.94
0	0	55	14.71	0	0	55	10.12
0	0	1	0.26	0	0	3	0.55
25	110.98	1,849	494.58	42	78.83	1,959	360.56

第一　日本内地における外國人犯罪の罪

國籍別 罪名（略稱）	イギリス		アメリカ		ドイツ	
	實數	比率	實數	比率	實數	比率
國交	0	0	0	0	0	0
公務妨害	0	0	0	0	0	0
逃走	0	0	0	0	0	0
騷擾	0	0	0	0	0	0
放火・失火	2	5.36	0	0	1	5.10
住居	0	0	0	0	0	0
阿片煙	0	0	0	0	0	0
通貨僞造	2	5.36	0	0	0	0
文書僞造	0	0	0	0	0	0
有價證券僞造	0	0	0	0	0	0
猥褻・姦淫	0	0	0	0	0	0
賭博・富籤	0	0	2	5.43	0	0
瀆職	0	0	0	0	0	0
殺人	0	0	0	0	0	0
傷害	5	13.40	5	13.59	1	5.10
過失傷害	4	10.72	6	16.31	2	10.21
遺棄	0	0	0	0	0	0
脅迫	0	0	0	0	0	0
名譽	0	0	0	0	0	0
信用・業務	0	0	0	0	0	0
竊盜・强盜	0	0	1	2.71	0	0
詐欺・恐喝	4	10.72	2	5.43	2	10.21
横領	2	5.36	0	0	0	0
贓物	0	0	0	0	0	0
不詳	2	5.36	0	0	0	0
總數	21	56.29	16	43.50	6	30.64

表

國籍別（特別法犯第一審有罪）

國籍別 罪名（略稱）	イギリス	アメリカ	ドイツ	ロシア	支那	其他	計
銃砲火藥類	4	3	1	0	10	0	18
外國爲替管理法	0	0	1	0	29	3	33
外國紙幣模造	0	0	0	0	3	0	3
軍機保護法	6	0	0	0	2	0	8
陸軍刑法	0	0	0	0	7	0	7
外國に於て流通する貨幣紙幣等の僞造・變造・模造	0	0	0	0	2	0	2
條約若くは慣行により居住の目的を有せざる外國人の居住及營業等に關する規程	0	0	0	0	2	0	2
モルヒネ・コカイン及其鹽類取締規則	0	0	1	0	2	0	3
外國通貨僞造取締規程	0	0	0	0	2	0	2
無線電信法	0	1	0	0	0	1	2
建築物法	0	0	0	0	0	2	2
船舶法	0	1	0	2	0	3	6
鐵道營業法	0	0	0	0	0	1	1
藥品營業の取締	0	0	0	0	0	1	1
重要輸出品取締	0	0	0	0	0	1	1
輸出絹織物取締	2	0	0	0	0	0	2
船舶職員法	0	1	0	0	0	0	1
飲食用器具取締	0	1	0	0	0	0	1
商標法	0	0	1	0	0	0	1
市街地建築物法	1	0	0	0	0	0	1
銃砲火藥及爆發物	0	0	1	0	0	0	1
その他	1	0	0	0	3	0	4
計	34	20	12	16	283	38	403

第二　日本内地における外國人犯罪の罪名

罪名（略稱）＼國籍別	イギリス	アメリカ	ドイツ	ロシア	支那	其他	計
印紙稅法	0	1	0	1	2	1	5
關稅法	0	0	1	1	20	1	23
骨牌稅法	0	0	0	0	4	0	4
郵便法	0	0	1	0	4	1	6
新聞法	2	2	0	0	1	0	5
阿片法	0	0	0	1	76	2	79
煙草專賣法	0	0	0	0	19	0	19
酒精及酒精含有飲料	0	0	0	0	1	0	1
麻藥取締規則	0	0	0	0	5	0	5
醫師法	0	0	0	0	2	0	2
賣藥稅法	0	0	0	0	4	0	4
森林法	0	0	0	0	4	0	4
出版法	1	0	0	0	5	0	6
郵便及その他の違反	0	0	1	1	1	0	3
古物商取締法	0	0	0	0	1	0	1
結核豫防法	0	0	0	0	1	0	1
地方競馬規則	1	0	0	0	3	0	4
自動車取締令	7	4	1	0	3	2	17
電氣事業法	0	0	0	0	1	0	1
狩獵法	1	0	0	0	1	1	3
警察犯處罰令	0	0	0	0	1	0	1
暴力行爲處罰法	0	1	0	0	3	0	4
度量衡法	0	0	0	0	3	0	3
要塞地帶法	8	5	3	2	3	18	39
廳府縣令	0	0	0	8	14	0	22
金銀貨幣又は地金取締	0	0	0	0	39	0	39

の一般人口が判明してゐない（帝國統計年鑑には毎年度一二月三一日現在によつて示されるのを例とするが、大正一四年だけこれを缺いてゐる）ので、大正一三年度の人口をそのまゝ二重に算入して、近似値を知ることを以て滿足するほかはなかつた。

第一表の最右欄の示す如く、在留外國人を全體としてみると、甚だ犯罪率が高く見えるが、それを國籍別にみれば、支那人のみひとり高率なるを知る。支那人以外は各國人とも一八年間を合算してなほ各三〇に滿たない少數の犯罪人しか出してゐないくらゐであるから、統計的意味はあまり持たないが、ともかく支那人に次いではロシア人が高率であり、イギリス人、アメリカ人、ドイツ人の順に順次低率となつてゐる。實數が少な過ぎるから、勿論數値に拘はることは出來ないが、罪質の上にも各國民の特徴が若干窺はれる。支那人をしばらく別論とすれば、竊盜罪のやうないはゞ原始的な犯罪がロシア人に多く、他の白色人種の間にはあまり見られないに對し、過失傷害の如きはアメリカ人、イギリス人等において高率に現れ、ロシア人には絕無である。この「過失傷害」なる項目に含まれてゐる犯罪は、恐らく大部分所謂「業務上過失傷害」であつて、主として自家用自動車の運轉事故であらうことは推定するに難くない。これらの事實は少くとも在留ロシア人は在留英米人に比して文化的經濟的に劣等の地位にあることに由來すると思はれる。第一表の資料から觀取し得る罪質における差異、はおほよそ右の如くである。これらの差異は民族の遺傳的形質によるにあらずして、むしろ文化的、經濟的な外部事情に依存するが如くである。

特別法犯についても、第二表に示す如く、自動車取締令違反がイギリス人、アメリカ人に特に多いのは、前記過失傷害の出現率と照應する現象である。特別法犯中、もう一つ注目に値するのは要塞地帶法違反の罪である。本罪も亦イギリス人、アメリカ人に多い。明示五箇國以外の國(本表に所謂「その他」にあたる)も甚だ高率である。ドイツ人は全犯罪數があまりに僅少であるから、この點明瞭を缺く。ロシア人は廳府縣令違反が多いから、罪質概ね輕微と見てよい。軍機保護法違反においてイギリス人が目立つて多いが、これは昭和七年度だけに金六名現れたのであるから、一般的傾向と見るわけにはゆかない。同年度の特殊事情による偶然的數字と見なければならぬ。これに反して要塞地帶法違反が英米人に多いといふことは決して或る年度だけに集中してゐるのではなく、各年度に平均的に分散してゐるのである。しかも本罪は各國人とも幾分支那事變勃發の年たる昭和一二年に近い年度においては然らざる年度に比して增加してゐるやうに窺はれる。それは第三表の示す如くである。特別法犯に關するこの第三表は、大正九年から昭和一二年までのうち大正一三年と同一四年の二箇年を除外した一六箇年の第一審有罪者總數と、一般人口一〇萬についての第一審有罪者の一年當り出現率とを

第三表

外國人要塞地帶法違反の年次的消長（實數）

國籍別＼年度	大正9	10	11	12	13	14	昭和1	2	3	4	5	6	7	8	9	10	11	12	計
イギリス人	1	2								1		2						2	8
アメリカ人		1													2	2			5
ドイツ人									1							1	1		3
ロシア人														1	1				2
支那人							1								2				3
その他								1	1			1		1	9	2	2	1	18
計	1	3	0	0	0	0	1	1	2	1	0	3	0	2	14	5	3	3	39

示したものである。刑法犯の場合と異り、大正一三年と同一四年との兩年を除外したのは、特別法犯に關する細別資料が右兩年度については缺けてゐるからである。本表中「その他」の外國人として一括されたものが昭和九年に特別多く本犯を出してゐるのは、何か同年中集團犯的事件があつたかして、かやうな結果となつたものであらうから、例外的現象であるかも知れないが、一般に各國人とも昭和一〇年前後に至つていくらか本罪增發の傾向をみせてゐることは事實である。要塞地帶法違反罪が近年になつて增加したといふことは、國防國家としての必要から檢擧が勵行されるやうになつたことに原因があるかも知れないが、また國際的諜報機關の活動やうやく熾烈とならんとする傾向を物語るものではあるまいかと思はれる。そのいづれが

主因なるかを單なる數字の上から斷定することは出來ないけれども、いづれにしても國際狀勢の緊迫し來れる有樣を犯罪現象の一面において觀取することが出來る。

第三章　在留支那人の犯罪

曩に支那人について論及することを差控へておいたが、こゝで一括して取扱ふ。支那人は實にわが國の在留外國人中最も犯罪率の高い民族であつた。勿論、今次大戰終了以前の事情であるが、支那人については臺灣在留の者や朝鮮在留の者についても資料が得られるから、かなり綜合的な確實な結果を知ることが出來るのである。まづ前出第一表および第二表をみると、既に述べた如く外國人中最高の犯罪率を占め、犯罪人の實數においても決定的に多いところから、日本內地における外國人犯罪の全體を支配し、これを特徵づける役割を演じてゐたことがわかる。

これと比較するため日本內地における全犯罪人の第一審有罪者を罪名別に見ると、第四表の如くなる。これは任意に昭和一〇年度を揭げたのであるが、例年大同小異である。この數値のうちには勿論外國人や日本の當時の植民地出身者も少數含まれてゐるわけであるが、大數現象を決定してゐるのは日本內地人であるから、大體において內地人の犯罪傾向を示す指數と見て差支ない。この第四表と第

第四表

日本における第一審有罪犯人（昭和 10 年）

罪名	總數	比率	罪名	總數	比率
皇室	4	0.00	禮拜所	55	0.07
公務	175	0.25	瀆職	1,499	2.15
逃走	28	0.04	殺人	924	1.32
湮滅	43	0.06	傷害	10,272	14.76
騷擾	44	0.06	過失傷害	6,572	9.44
放火	875	1.25	墮胎	249	0.35
失火	1,945	2.79	遺棄	12	0.01
溢水	20	0.02	逮捕	26	0.03
往來妨害	150	0.21	脅迫	581	0.83
住居	1,352	1.94	略取・誘拐	198	0.28
秘密	3	0.00	名譽	122	0.17
阿片煙	20	0.02	信用・業務	102	0.14
飲料水	56	0.08	竊盜	19,936	28.64
通貨僞造	30	0.04	强盜	802	1.15
文書僞造	738	1.06	詐欺	6,101	8.76
有價證券僞造	246	0.35	恐喝	2,998	4.30
印章僞造	19	0.02	橫領	3,169	4.55
僞證	131	0.18	贓物	708	1.01
誣告	53	0.07	毀棄	101	0.14
猥褻・姦淫	927	1.69			
賭博・富籤	60,374	86.76	總數	121,662	174.83

一表の「支那人」の欄とを對照してみると、まづ刑法犯總數において著しき相違のあることが知られる。在留支那人はその一般人口一〇萬につき四九四・五八名の刑法犯有罪者を出してゐるが、日本內地の刑法犯第一審有罪者は一般人口一〇萬につき一七四・八三名に過ぎないから、支那人の犯罪率は日本內地の平均犯罪率の二・八倍强すなはち約三倍に達するのである。

罪名別に見ると、刑法犯において「竊盜・强盜」の多いのはその素朴單純な性情を語るものであり、「賭博・富籤」の多いのはその射倖性のあらはれである。また第三の高率を以て出現する「阿片煙」に關する罪の多きは、周知の如きこの民族に特別顯著な風習に由來するものたるは疑を容れぬ。「賭博・富籤」の多いのは、本來各國共通の現象である上に、起訴率が高いから、第一審有罪者の多くなるのは當然のことであるが、その犯罪率は日本內地在住者一般にあつては「竊盜・强盜」の約三倍に相當するに對し、支那人にあつては「竊盜・强盜」の方が「賭博・富籤」よりもむしろ多いくらゐになつてゐる。それは支那人に射倖性が乏しくて「賭博・富籤」を犯すことが少いといふ理由によるのではなく、却つて「竊盜・强盜」の多いことに職由するのである。それは單に兩罪の相對的數値をみることなく、各罪につきその人口一〇萬に對する比率をみれば明瞭なことである。「賭博・富籤」の人口一〇萬に對する犯罪率は日本內地在住民一般については八六・七六名なるに對し、支那人については一五三・〇〇名であつて、その率後者は前者の約二倍に相當してゐるのであるから、本罪も決して少いのではない。ただ「竊盜・强盜」がこれにも增して甚しく高率であることを觀取し得るのである。このほか支那人犯罪の特色を示すものとしては、各種僞造罪中通貨僞造が多くて、文書僞造や有價證券僞造の少いことである。これは日本內地人の犯罪とは正反對の現象であつて、日本內地人と在留支那人とのこの當時における文化的・經濟的地位の相違を如實に物語るものである。いふまでもなく、通貨僞造罪は他の兩僞造罪に比し、勞多くして利得少き犯罪であるばかりか、有價證券や文書の僞造は、犯罪の機會も文化的・經濟的に上位にある者において始めて多く得られるといふ事情にあるのである。財產罪の各種態樣についても、「竊盜・强盜」の如き單純素朴な犯罪は甚しく多いが、詐欺・恐喝」はそれほど多くなく、「橫領」に至つては內地人よりも低率である。その理由は、橫領は信賴關係を基礎とするものであるから、經濟的低位に生活する者には却つて機會が乏しいといふことと、詐欺・恐喝はやゝ手段複雜にして智能的なるにより、盜罪一般におけるが如く支那人において著しい高率を示さないものと思はれる。過失傷害においては日本內地住民一般よりはるかに支那人の方が少いのは、本罪の主要數を占める業務上過失傷害の機會を有する業者（自動車の運轉手を主とする）が內地人に多く、支那人に稀であるといふ職業關係に由來することは疑ない。

支那人の犯罪に關する如上の事實は、朝鮮に在住する支那人についても概ねこれを觀取することが出來る。第五表は朝鮮における第一審有罪者につき、昭和一年乃至同五年の五箇年間および昭和六年乃至同一〇年の五箇年間の各「實數」を示し、これと同時に右各五箇年間の實數を同じ五箇年間の一般人口延員數を以て除し、これを一〇萬に對する一年當り第一審有罪者出現の「比率」を示したものである。本表は「朝鮮總督府統計年報」所載の數値を資料として作成したものであるが、これによれば、阿片煙、竊盜、傷害等の著しく多いことにおいて日本內地における支那人と同様であり、たゞ失火が多いといふ點で朝鮮における支那人に多少特殊事情がみられる。

賭博・富籤に關する數値が日本內地のそれに比して極めて小さいのは、全く第一審有罪者數を基礎としたために現れた外見的現象に過ぎない。日本內地においては本罪の處罰を警察官の卽決によつて終局せしむることとなきため、その悉くが第一審有罪者數を決する基礎となつてゐるに對し、朝鮮においては警察官の卽決處分の對象となるものの方が正式に裁判所を經由するものよりもはるかに多いため、第一審有罪者が少くなつてゐるのである。決して朝鮮における支那人に本罪が少いのではない。さうして刑法犯總數において一般人口一〇萬につき二〇〇名を超える數値を示してゐることも、その甚だ高き犯罪率を物語るものである。同じ期間內における同種の實數を基礎として計算したところに

第五表

朝鮮における支那人の犯罪（第一審有罪者）

罪名＼年度	昭和 1—5		昭和 6—10	
	實數	比率	實數	比率
公務妨害	3	1.10	0	0
逃走	0	0	1	0.44
藏匿・湮滅	0	0	1	0.44
放火	2	0.73	7	3.14
失火	62	22.80	46	20.65
往來	1	0.36	0	0
住居	2	0.73	2	0.89
阿片煙	186	68.41	230	103.25
通貨	1	0.36	5	2.24
有價證券	2	0.73	0	0
僞證	0	0	1	0.44
誣告	1	0.36	0	0
猥褻・姦淫	5	1.83	6	2.69
賭博・富籤	26	9.56	15	6.73
禮拜所・墳墓	3	1.10	1	0.44
賄賂	5	1.83	6	2.69
殺人	26	9.56	21	9.42
傷害	78	28.69	54	24.24
過失傷害	13	4.78	3	1.34
遺棄	0	0	2	0.89
逮捕・監禁	1	0.36	1	0.44
略取・誘拐	7	2.57	7	3.14
名譽	1	0.36	0	0
信用・業務	1	0.36	0	0
竊盜	174	64.00	105	47.13
強盜	14	5.14	9	4.04
強盜死傷・強盜強姦	13	4.78	11	4.93
詐欺	9	3.31	7	3.14
恐喝	1	0.36	3	1.34
横領	7	2.57	7	3.14
贓物	1	0.36	0	0
毀棄	2	0.73	1	0.44
總數	647	237.98	552	247.81

よると、在鮮内地人は人口一〇萬につき刑法犯第一審有罪者九〇名内外（昭和一年乃至五年においては九四・四一名、昭和六年乃至一〇年においては八四・六六名）、朝鮮人は人口一〇萬につき刑法犯第一審有罪者六〇名内外（昭和一年乃至五年においては五八・九〇名、昭和六年乃至一〇年においては六一・二三名）であるから、支那人は桁違ひの高率を示してゐるわけである。

日本領有當時の臺灣における支那人については、特に支那人としての報告的資料がないが、臺灣總督府編「臺灣犯罪統計」に「外國人」なる項目のもとに報ぜられてゐるのは、極めて少數の他國人を含むには含むが、その大數現象を決するものはあきらかに支那人であるから、全數を支那人に關するものと見ても、何等の支障を來さない。第六表は第五表と同様の方法により作成したものであるが、これによると賭博が極端に多く、竊盜これに次ぎ、通貨僞造、詐欺、傷害などが高率に現れてゐるから、傾向としては内地における支那人犯罪とその揆を一にするものである。賭博が極端に多いのは、臺灣も朝鮮と同様に、本罪について現實には警察官の即決が多く行はれてゐるのではあるが、統計資料の基礎數値においては朝鮮と異り、即決有罪を第一審有罪に準じて取扱ひ、兩者を合算してあるがためである。尤も他面において、臺灣における支那人の賭博は、臺灣本島人の一特色をなせる射倖性と結びついて、殊に著しいものありとすべき理由もある。いづれにしても臺灣における支那人の犯罪

第　六　表

臺灣における外國人（殆んどすべて支那人）の犯罪

年度 / 罪名	昭和 1—5 年 實數	昭和 1—5 年 比率	昭和 6—10 年 實數	昭和 6—10 年 比率
皇室	0	0	2	0.85
公務妨害	7	3.43	1	0.42
證憑湮滅	1	0.49	3	1.28
騷擾	2	0.98	0	0
放火	0	0	2	0.85
失火	5	2.45	5	2.13
往來	0	0	3	1.28
住居	3	1.47	2	0.85
通貨僞造	35	17.18	11	4.70
文書僞造	8	3.92	1	0.42
有價證券僞造	1	0.49	0	0
誣告	3	1.47	0	0
猥褻	3	1.47	2	0.85
姦通	9	4.41	8	3.42
強姦	1	0.49	1	0.42
賭博	3,440	1,689.33	3,236	1,384.05
常習賭博	6	2.94	7	2.99
賭場開張	2	0.98	0	0
瀆職	4	1.96	15	6.41
殺人	2	0.98	3	1.28
傷害	196	96.25	71	30.36
暴行	8	3.92	1	0.42
過失傷害	7	3.43	3	1.28
脅迫	1	0.49	3	1.28
略取・誘拐	1	0.49	0	0
逮捕・監禁	1	0.49	0	0
名譽	4	1.96	0	0
竊盜	230	112.94	142	60.73
強盜	5	2.45	2	0.85
詐欺	28	13.75	24	10.26
恐喝	2	0.98	0	0
橫領	16	7.85	16	6.84
遺失物	11	5.40	2	0.85
贓物	19	9.33	6	2.56
總數	4,061	1,994.29	3,572	1,527.76

については日本内地における支那人犯罪と矛盾すべき現象は存在しない。

第四章　移住民高犯罪率問題の検討

外國から移住して來た者は一般にその國本來の住民よりも犯罪率が高いといはれてゐる。しかもその犯罪率の高いことはその母國を去ること遠ければ遠いほど著しいといふ。(1)(2) 移住民の犯罪性强きことはヨーロッパでは從來公理の如くにいはれ、ロンブローゾ (Lombroso) の古典的記述を始として(3)これを裏書するやうな事實が多數報ぜられてゐるが、(4) アメリカにおいては、むしろこれと反對の事實が氣付かれ、移住民は本來の住民よりも犯罪性の乏しいのが通則であるかの如く說く者さへある。(5) しかし、眞相は兩說のいづれにもない。移住民の犯罪性は本來の住民のそれよりも一般に甚しいともいへないし、また一般に良好であるともいへない。移住民の出身國如何によつても、また移住國如何によつても、その間大なる逕庭なしとせねばならぬ。そのことは上來述べて來たわが國における外國人犯罪の事實が如實に證明してゐるところである。わが國在留の外國人のうちでは、支那人だけが特別顯著に高き犯罪率を示してゐるが、他の諸國民の犯罪率は低い。勿論わが國では歐米とは食物等における慣習が甚しく異るため、監獄給養の困難から、歐米人に對して自由刑を科することは相當差控へられる傾向がある。從つて第一審有罪者を基礎として見た歐米人の犯罪率は眞相以上に外觀上は低率となつてゐると思はなければならぬが、それにしても、かゝる政策上の顧慮にはおのづから限度があることであるから、支那人以外の諸國民の移住し來れる者が、その犯罪率においてあまり高いとは考へられない。これを要するに、わが國における外國人の犯罪率については、その所屬國の如何により必ずしも一樣でなく、日本內地の一般在住民の犯罪率に比し、必ずしも高いとか低いとかいふ槪括は出來ない。從來の硏究者達が、移住民の犯罪率は本來の住民のそれよりも或は高いといひ、或はその反對に低いといつたのはいづれも正鵠を射たものではない。それには合理的な必然關係がないといふことを旣に以前述べる機會を持つたが、(6) いまこゝに日本における外國人犯罪についてひとつの實證を供する次第である。

在留外國人中支那人のみがかく高き犯罪率を示す理由については、種々常識的な推測が可能であるが、かゝる推測に多くの紙面を費す必要はない。一言以てこれを蔽へば、當時の在留支那人は必ずしもその母國における文化的・經濟的な高段階にある者を多く含まなかつたのに對し、他の在留諸外國人は母國にあつても比較的高い文化的・經濟的地位に位する者を多く含んでゐたといふことである。これは恐らく當時の日本が東洋に位置する唯一の一等國たるの事情にも大いに關係があると思ふ。

第七表

日本内地在留外國人性別人口構成

國籍	18年間延實數		百分比	
	男	女	男	女
イギリス人	19,358	17,948	51.88	48.11
アメリカ人	18,054	18,724	49.08	50.91
ドイツ人	11,362	8,216	58.03	41.96
ロシア人	12,054	10,481	53.47	46.52
支那人	283,497	90,351	75.83	24.16
その他	32,903	20,375	61.75	38.24
合計	377,219	166,095	69.42	30.57

なほ在留支那人については、その犯罪率を昂めざるを得ざる理由を説明すべき二つの資料を示すことが出來る。それは帝國統計年鑑の報ずる外國人人口の性別構成と職業別構成とである。第七表は大正九年乃至昭和一二年の一八年間（但大正一四年は資料欠缺につき一三年を重複算入）の延人員實數を基礎として性別を示したものであるが、これによつてあきらかな如く、イギリス人とアメリカ人とは男女ほゞ相等しい割合であるが、他の諸國民は男子を包含する割合が多い。殊に支那人の如きは男子は女子の三倍以上に及んでゐる。人口の性別構成の不均衡は、いづれかといへば犯罪誘發的意味を持つが、それはともかくとして、男子が一般に女子よりも犯罪率が著しく高く、男子は女子の數倍乃至二〇倍程度の高

第八表

日本内地職業別人口構成

職業	外國人人口		一般人口	
	實數	%	實數	%
農・牧・林業	312	0.05	14,140,107	21.93
水産業	98	0.01	546,624	0.84
鑛・工業	27,657	5.05	5,950,801	9.23
商業	184,078	33.62	4,478,098	6.94
交通業	2,950	0.53	1,107,574	1.71
公務・自由業	44,100	8.05	2,044,151	3.17
學生・生徒	42,878	7.83	無職中に含まる	—
その他の有業	23,412	4.27	1,352,285	2.09
無業	221,976	40.54	34,830,365	54.04
總數	547,471	—	64,450,005	—

率を示すものであるから、人口構成が男子に偏してゐるといふことは、當然に人數の割に犯罪人を多く出す結果となる。支那人犯罪率の高きこととの一因はこゝにある。ロシア人や其の他の外國人についても同樣である。ドイツ人のみは男子多きに拘らずひとり犯罪率は最低率を維持してゐるが、これは他にもつと有力なる犯罪抑制的原因の潛在せるによるものであらう。

次に第八表は帝國統計年鑑所載の數値を基礎として日本内地における一般人口の職業別構成と外國人人口のそれとを比較するために作成したものである。本表中外國人人口は前掲一八年間の延人員により（國籍別は不明であるが、大正一四年度の分も判明してゐるから、前表の如き重複計算による概數推算をせずに濟んだ）これを求めたが、一般人口の方は昭和五年度國勢調査の結果によつた。本表によつてみるに、無職業が最大數を占めることは一般人口においても、外國人人口においても同一であるが、これを除外して有業者だけについてみれば、一般人口にあつては「農・牧・林業」が頗る多數に含まれてゐるに對し、外國人人口にあつては「商業」が決定的に多い。この外國人中には支那人がその主要な數を占めてゐること前記の如くであるから、上敍の職業構成はおほよそ支那人のそれを代辯するものと見ることが出來るが、かくの如く一方において彼等の人口構成が商に偏してゐるといふことは、他面最も犯罪率の低きことの期待される農民(7)を殆んど含まないといふ事實と兩々相俟つて、こゝに在留支那人の犯罪率を高からしめるに大きな役割を演じてゐるものと見てよい。

註（1）Hacker, Kriminalität und Einwanderung. Blätter für Gefängniskunde, 1925, Bd. 56, S. 28

（2）植松正「移住民の犯罪性」（法學志林四六卷二・三月合併號一頁以下）（本書九一頁以下）。

（3）Lombroso, C., Le Crime, Causes et Remèdes, 2e. ed., 1907. Pp. 76.

（4）植松、前掲に詳述してある。

（5）Exner, Franz, Volkscharakter und Verbrechen. Mon. f. Kriminalpsychol., 1938, Jg. 29, S. 409.

（6）植松、前掲。（本書九九―一〇〇頁）。
（7）Garofalo, Criminology, 1914, p. 157.

第五章　結　語

本篇の論旨を要約すれば左の如くである。

一、日本在留外國人犯罪率は、全體としては、日本人一般の犯罪率よりも著しく高い。しかし、これを支配してゐるのは、在留外國人の大部分を占める支那人に關する數値である。

二、國籍別に犯罪率を比較してみると、支那人以外の外國人は甚しく少數であるから、確實な意味を持つとはいへないが、支那人に次いではロシア人、イギリス人、アメリカ人、ドイツ人の順に順次低率となつてゐる。尤も、犯罪率におけるこの順位は必ずしも各母國民のそれを反映してゐるといふことは出來ない。

三、各國民の刑法犯をその罪質の點から比較してみると、ロシア人は竊盜の如き素朴原始的な犯罪に多く關與し、アメリカ人、イギリス人は自動車運轉に伴ふ過失傷害罪を多く犯してゐる。これはそれぞれの國民の遺傳的素質に基くといふよりは、むしろ經濟的・文化的地位に由來する現象である。

四、各國人の特別法犯をその罪質につき檢討するに、イギリス人、アメリカ人に自動車取締令違反の多いのは前記過失傷害罪における事實に照應する。要塞地帶法違反罪の年次的消長は當時次第に國際關係の緊迫し來れる狀勢を示唆するに足る實情を語つてゐる。

五、支那人は甚しく高い犯罪率を示してゐる。それは日本内地の平均犯罪率の二・八倍を超えてゐる。罪質別に見て、盜罪多きはその文化的低段階にあることを示し、賭博・富籤の多きはその原因を彼等特有の射倖性に歸せらるべく、阿片煙に關する犯罪の多きはその民族的陋習に由來すると見られる。

六、從來西洋の學者がいふやうな、外國人の犯罪率はその國本來の住民のそれよりも高い率であるとか、母國を去ること遠ければ遠いほど益〻高率となるとかいふ法則は必ずしも妥當しない。第一それには合理的根據がない。恐らくは偶然的現象を法則と誤認したものであらう。

七、外國人の犯罪率の高低は各〻その國籍を異にするに從つて大いに逕庭がある。勿論一律に取扱ふことは出來ない。

第四篇　臺灣在留諸民族の犯罪性

本篇の一文は臺灣が日本の完全な領土であつた當時に記述せられたものであり、資料もその當時のものであるため、敗戦後のいまこれを書改めることは不可能のことに屬する。原資料が日本の領臺期間中のものであるから、やはりこのまゝの敍述を以てするよりほか仕方がない。その意味で舊來の用語のまゝ敢て修正を施さずに置く。

第一章　序　說

臺灣在住民は內地人、臺灣本島人、朝鮮人、外國人より成る。このうち朝鮮人については資料の上で內地人中に合算して取扱つてゐるものが多いので、本篇においてもこれを別群に區別して扱ふことが出來ない事情にある。在臺朝鮮人はその數が甚だ少いから、內地人中に合算して扱つても、大數現象に影響するほどのことはない。しかし稀にしか現れない犯罪などでは、少數といへども無視し得ない意味を持つものがある。これは具體的資料の取扱について留意を要する點である。また在臺外國人は殆んどすべて華僑であるといつてよい。稀に白人を含んではゐるが、これは勿論大數に何等の意味を持つものでないから、「外國人」といふのはすなはち華僑を指すと考へて差支ない。それから「本島人」はさらに細別される。福建系閩族、廣東系粤族、平埔族（熟蕃）、高砂族（生蕃）、これである。これらの大別ならびに細別のすべてが所謂人種的差異にあたるのではないが、それに準ずべき意味を持つてゐる。そこで便宜これらの種別を表すに族系の語を以てした。族系的差異は人種的差異ではない。從つてこゝに行はうとする差異的考察は自然的・文化的な諸條件輻輳の結果として現實に存する族系別を見ようとするに過ぎない。決してそれが人種的差異であるとか解剖學的基礎を有する器質的相違であるとかいはうとするものではない。しかし犯罪現象について人種的差異の問題が從來どういふ風に見られてゐるかを瞥見しておくことは無意味ではないと思はれる。

近代犯罪學は、その濫觴期にあつては人種的差異を頗る重要視してゐた。これは生來性犯罪人說を唱導し、犯罪人を人類の特別な亞種であると說き、犯罪人の發生を隔世遺傳によると考へた初期の犯罪人類學派の思想としては、當然の歸趨である。否、歸趨であるばかりでなく、人種的差異の存在が時にはかゝる思想の論據ともなつたわけである。或は身體的徵表に注目して、長頭型の人種に故殺罪が多く、(1) ブロンド髮の人種に人身犯が少いといひ、(2) 或はイタリアの各地域につき犯罪中心區のあることに著眼し、それが結局その地に住みついた遠き祖先の犯罪性に由來することを論じ、(3)或はまたユダヤ人に僞造、密輸、高利貸等の諸罪多く、(4)ジプシーに家畜に關する詐欺犯罪多きことをその人種性に(5)歸しなどしてゐる。またアラビア人はその人種的理由により、犯罪率は低いといふ說もある。(6)しかしながら、かういふ犯罪率の差異を人種的原因に歸する見解は犯罪人類學派そのものの崩潰と共にその據點を失つた。はじめ人種的差異に基く犯罪性の相違であると思はれてゐたものは、綿密な檢討を經るに及んで、寧ろ氣候、職業、風習、經濟狀態その他の條件に起因することの多きものと見られるやうになつた。たとへばパーメリー(Parmelee)の說くところによれば、氣候の影響はまづ交感神經系統に及び、それがこの神經系統によつて支配される感情生活に變化を來さしめ、感情生活の變化の繼續狀態はやがて外見上の人種的差異となるといふのである。(7)またコルシカ島は殺人事件の多いので頗る特色ある地域であり、文豪メリメの名作「コロンバ」(8)によつてこのことは一般に知られてゐるが、この島は政治上フランス領なるに拘らず、住民がイタリア系であるため、このやうなフランス本土との著しい犯罪率の相違が人種的差異に由來するものと思はれがちであるが、この種の殺伐な犯罪はコルシカ島に在住するコルシカ人においてこそ高率に現れるが、島外にあるコルシカ人にはさういふ傾向は見られないところからみると、これは人種的原因によるものではなく、コルシカ島の風習的環境の影響に歸すべきものであらう。(9) 前叙ユダヤ人の犯罪の如きもその職業と密接な關係あるものといふべく、遽にその人種的特質に起因するものとは認定し難い。かくて、嚴格なる意味における人種的差異は犯罪について確證なきところである。そのためこれを否定する者さへある。その主張するところによれば、一見人種的差異と見えるものも永續的な社會的雰圍氣に對する反應として發達した特質であつて、習得的態度の差に過ぎぬといふのである。(10)

こゝに例證として一二引合に出した見解は概ね正當なるを失はぬが、しかし必ずしも人種の差が全然否定されねばならぬといふことはない。人種の差はそのまゝのあらはな姿において犯罪現象の面に出てゐないといふだけのことである。所詮犯罪現象は多種多樣なる原因輻輳の結果として生起するものであるから、必ずしもそれを要素的に解析しおほせるものではない。人種的差異が犯罪に作用してゐるといふ明確な證據を析出することは、複雜な生活を營む人類においては容易でない。少くとも今までにそれが見出されたと確信を以ていへるほどのものはない。しかし、だからといつて、人種的差異は何等犯罪に對して意味を持たぬといふことは出來ぬ。それは十分の意味を持つて犯罪現象に作用を及ぼしてゐるかも知れぬ。それが種々の社會的原因と結合して作用するため、犯罪に對して直接せる明白な社會的原因の背後にかくれて潜勢的意味を保つに止るのであらうと考へる餘地も殘されてゐる。たゞ戒むべきは、現象的差異を以てたゞちに純生物學的差異と卽斷することである。現象的差異は種々の社會的原因の加味された複合的結果として研究者の眼前に現れてゐる。從つて、この現象的差異は動物學的な形體共同體としての「人種」(11)の差といふよりも、社會學的意味を共有する文化共同體としての「民族」の差として觀念する方が適切である。しかし「民族」の槪念は、用語例として必ずしも常に然く明確ではないばかりか、これには一種抗爭的な對立に親近し易い語感が附著してゐるから、同じ日本の國籍にある諸系統を表現するに不適當なるを思はしめる。慣用されてゐない「族系」なる語を以てこれを表現するのは、かゝる理由に由來するのであるが、これは結局冒頭記載の如き三大別および四細別を生物學的・社會學的類型共同體として區分したものである。これら各族系の間には生物學的には必ずしもさう大きな差異はなくとも、社會學的類型としては著しく異つたものであることは疑を容るゝ餘地がない。從つて、こゝに族系的差異として指摘するものはみなひとつの生物學的・社會學的類型共同體としての差異を意味し、しかもその或るものにおいては生物學的差異よりも社會學的差異の方が極めて重要な意味を持つものであると考へなければならぬのである。こゝではかういふ意味の族系的差異を犯罪現象の側面から考察しようとする。それも概觀を得る目的を以てもっぱら統計的資料の上から研究しようとするのである。しかし統計は頗る有用のものであるとともに、他面において甚だ危險なものでもある。統計の示す數はそれ自體無色である。これに解釋を施し、意味を與へるものは研究者に保有された數値處理の技能と諸實相卽の思惟とである。然るに筈者は臺灣の刑事事件を實務上取扱つたことが全くない。たゞ東京、横濱、水戸等の裁判所において檢事として經驗した知識を以てこの數値解釋の一助となし得るに過ぎぬ。斜視的誤謬あらば必ず諸賢の叱正を乞ふや切なるものである。

第二章　研究資料としての犯罪統計の意味

いふまでもなく、犯罪は殘らず檢擧されるものではない。しかし犯罪學の對象は原則として「知られたる犯罪」に限られる。發覺し、檢擧された犯罪のみを取扱つて犯罪の眞相を知り得たといへるであらうか。法網は呑舟の魚を逸し、狡智は捜査力の彼岸に嘲るといふことも決して完全には否定し得ないが、これは人智の限界を超えたことである。研究者はまづ「知られたる犯罪」を對象とするのほかはない。しかし、この「知られたる犯罪」が年々極めて明白な量的規則性を以て出現するといふ事實は、それが隱れたる犯罪をも含めてほゞ犯罪の眞相を代表するものであるといつて大過なきことを示してゐる。(13) 恐らくは實相の歪曲された姿ではなく、その正當な縮圖に近いものであらう。この意味において犯罪發生事件が研究資料として十分の意味を持つことは疑ないが、輕微なる犯罪については被害屆のなされないものが多く、却つて檢擧された後に逆に被害者がその屆出を要求されるやうな實情にあるし、重大なる犯罪については概ね檢擧に先立つて被害發生の屆出があるが、それが重大な犯罪である限り、搜査機關はその檢擧について全力を傾注するのが通例であるから、重罪事件の未檢擧といふことは甚だ少い。從つて發生事件によるのと檢擧事件に從ふのとでは大差ない結果となる。然るに官廳公刊の犯罪統計は概して發生事件については簡略に失してゐるため、多角的な研究の資料とすることは出來ない。檢擧事件においては犯罪人も明白であつて、發生事件に關する資料よりはよほど詳細なのを常とするが、なほ一般に有罪の裁判を受けたものについての資料ほどその詳細を期待し得ないばかりでなく、殊に臺灣の資料に關する限り、全然科學的研究の對象とするに足るものがない。これは犯罪現象の大數觀察にとつて最も遺憾なことであるが、諸外國の統計も裁判所の有罪認定を中心として作られてゐる。これは單なる檢擧事件のなかには無罪となるべき事件その他有罪の裁判を受け得ざるべきものが含まれてゐるとの理由にもよるであらうし、裁判所の判斷が終局的斷案であるとの觀點からこれを重視したのであらう。しかし犯罪現象の經驗科學的認識に達するためには、かやうな手續法的見解以外に重要なものあるを看過してはならぬ。裁判所の判斷を受けるのは既に檢察官の選擇を經由した少數の事件だけに限られるから、それはそれだけ犯罪の實相から遠い相貌を持つものといはねばならぬ。檢察官の有罪認定事件中にはなほ裁判所の有罪認定を受け得ざるべきものが含まれてゐるとしても、それは甚だ少數であるから、殊にわが國のやうに嚴密な起訴方法をとる制度のもとにあつては、總數の傾向に不當な結果を及ぼすやうな心配はない。却つて裁判所の有罪認定を受けたもののみを資料とするときは、犯罪の實相そのものは示されることなく、特別に檢察方針の影響を受けた數値が現れることになる。これは極めて簡單明瞭なことがらなるに拘らず、多くの研究者によつて無視されてゐる。ひとつには主としてこの種の研究が刑事手續の法理と實際とに縁遠い醫師や心理學者に委ねられてゐたためであつたかも知れぬ。それはともかく、檢察官の有罪認定事件について詳細な資料が用意されてゐないので、止むを得ざる次善の手段として裁判所の終局的有罪認定事件に關する資料によるのほかはない。この資料は右に述べたやうな理由により、決して第一等の資料ではないが、本篇の主題を追究する上にはさしたる瑕瑾となるものではない。なぜならば、各族系は同じ制度と法制とのもとにおいて處斷されてをり、檢察方針の上に大なる差別なしと考へられるからである。たゞ場合によつて、檢察方針の影響を受けない犯罪の原狀を知る必要のある場合には、檢察官の有罪認定に對する終局的處罰の比率から逆算して、おほよその復原的數値を推定した上で考察を進めなくてはならぬわけである。なほ臺灣の特殊事情として警察官の即決處分（明治三七年律令四號犯罪即決例一條）の權限範圍が廣く、實際の取扱數においても相當多いので、これを無視することは出來ない。これも裁判所の終局裁判に準ずべきものであるから、裁判所の有罪裁判と警察官の即決處分とを合算したもの（即決處分に對し正式裁判の開始あつたものは重複算入しない）を以て、本篇における「犯罪件數」或は「犯罪人數」とする。またこの意味の合算數値が公刊統計資料においても廣く用ゐられてゐるのである。

犯罪はこれをその種別からみて、刑法犯と特別法犯との二大別とすることを得る。前者は刑法法典に規定された諸種の犯罪であり、後者は刑法法典以外の實體的刑罰規定に該當する諸種の犯罪である。大體において前者は後者に比し濃厚な倫理的色彩を有し、犯罪の典型であるばかりでなく搜査機關の一時的方針に左右されることが比較的少い。犯罪現象の研究對象としては刑法犯が適當である。かくて單に刑法犯のみが本篇における考察の對象に選ばれる。

統計資料は犯罪については常に臺灣總督府編「臺灣犯罪統計」に據り、一般人口については同書卷末の參考表に從ふのを原則とするが（一般人口は同廳發行同一調査日現在のものでも相互に一致して ゐない。たとへば「臺灣事情」の數字はこれと異る。）、人口構成の詳細を知る必要のあるものについては同聽編「國勢調査結果表」に據る。前者は毎年度刊行、後者は當該各調査施行年度刊行である。統計は數の多いに從つて信賴度を增すのを原則とするから、出來るだけ多くの數を集計し、可能なる限り、二箇以上の年度群を示すやうにする。これは各箇の年度群において同一傾向の存在を確認し得る場合に、始めてその數値の規則性が明瞭となるからである。また整理上一年度群は單一年度に止めることあり、或は五年度分、一〇年度分の平均もしくは總計を以てすることがある。すなはち數値相當多くして、單一年度のみを以てしても偶然的因子をほゞ排除し得たと認められる場合には單一年度の數値を掲げ、數値寡少に過ぎて、各年度の數値が偶然的因子の影響を相當受けてゐると推測されるやうな場合には數年度以上を、それぞれの場合に應じ、必要なだけ多數にわたつて平均して行く。

第三章　犯罪率の年次的變遷

現行刑法法典は最近その一部の改正のあつたことを除き、明治四一年以來施行されてゐる。舊刑法時代は事情を異にするものがあるし、現行刑法施行當時はその運用の方法がまだ安定してゐない。そこで犯罪現象の逐年變化を調べるのに、その始期を明治四三年とする。また最近は事變や戰爭の影響が著しく、平常の犯罪事情を知るには不適當であるから、昭和一〇年を以て終期とする。その間わが國は大正三年に歐洲大戰に參戰したことと、大正一三年に改正刑事訴訟法が施行されて公訴提起に便宜主義（刑事訴訟法二七九條）が採用されたこととは、共に犯罪現象の數的考察に際して特段の注意を要する點であるが、前者はわが國國民生活に對する關係においては事變や戰爭のやうな大きな意味を持たなかつたし、(14)後者は法制上の變化としては重大なるに拘らず、既にそれ以前から司法の實際においては便宜主義が慣行として採用されてゐたやうな實情であつたから、その影響は比較的大きくなかつたであらう。

かくて、まづ明治四三年から昭和一〇年までの二六年間の刑法犯總數の逐年的增減を見るに、その絕對數の增加することは、人口の增加ある以上當然期待されるところであるが、各族系の一般人口萬に對する犯罪人數の比率を求めると第一表の如くなる。すなはち次の如き事實が觀取される（紙面の都合で實數を掲げないが、それは各年度の「臺灣犯罪統計」に掲出されてゐるものを合目的的に集めたのである。以下すべて實數の表示なきものは同樣である）。

（一）　內地人の犯罪總數は逐年明白な減少傾向にあり、その率は明治四三年（內地人人口萬につき內地人犯罪人四二・一名）に比し、昭和一〇年（同一三・三名）は二分一に近いまでになつてゐる。これを罪質別に見ると、增加傾向にあるのは過失傷害罪のみで、減少傾向の明瞭なのは放火、文書僞造、印章僞造、常習賭博、殺人、傷害、暴行、墮胎、略取・誘拐、竊盜、詐欺、恐喝、横領、遺失物横領、贓物、毀棄等の諸罪である。その他の犯罪はほゞ恒常なる數値を示す（賭博がほゞ恒常な數値を示してゐることは注意に値する）か、或は增減狀況動搖し、または實數寡少に過ぎる等の理由により、增加傾向もしくは減少傾向といふものが判明しないのである（本來實數もしくは比率を明にした圖表を掲示すべきであるが、罪質別表はその數五一表の多きに及び、紙面を塞ぐこと甚しいので止むなく割愛する。しかしこの敍述はすべて著者の手許に保留されてゐた實證的數値を基礎とするものであつて、決して單なる臆測ではない。以下他の族系についても同斷）。内地人においては、過失傷害が增加傾向を採る唯一の犯罪であるが、これは主として交通從業員の業務上過失傷害であらうから、交通機關の逐年著しく發達しつゝある事情に由來するものであらう。他の主な諸罪は減少しつゝある。このことは總體的にいつて内地人渡臺者は初期において惡質の者を多く含んでゐたのが漸次良質に改りつゝあつたことを示すものである。先般わが政府の諸地域に對する方針が渡航者の質に格段の注意を拂ふに至つてゐたことは、この方面から見ても頗る策を得たものといはねばならぬ。内地における無賴の徒や一獲千金組の渡航を濫に許すことが、いかに日本人の體面を汚辱するものであるかは、臺灣における内地人の犯罪の曾て著しく高率なりし事情に徵しても明白である。

表

逐年增減（人口萬に對する比率）

人	內地人			外國人		
女	總數	男	女	總數	男	女
4.1	42.1	64.4	8.9	176.9	176.9	0
5.7	44.9	69.0	9.6	144.1	159.7	16.9
5.2	43.4	67.8	8.5	170.7	190.7	23.4
5.4	45.0	70.2	9.5	168.0	191.6	8.1
5.3	45.1	72.1	7.7	139.4	160.9	3.7
4.8	36.2	59.0	7.3	204.1	243.1	9.9
5.9	47.4	79.6	7.1	235.2	282.3	18.1
6.7	52.6	86.8	10.5	211.3	258.6	8.3
7.5	46.3	77.4	8.3	242.6	300.5	11.8
8.1	40.5	68.8	6.2	203.2	250.2	25.1
7.6	36.2	60.5	4.8	170.7	214.1	13.1
8.4	44.9	74.0	7.7	194.9	242.7	18.1
9.9	36.0	61.0	4.7	211.1	267.1	15.3
10.8	34.3	54.3	9.4	188.9	241.0	19.4
11.4	32.1	52.8	6.6	210.1	272.2	25.4
12.9	32.6	54.0	7.8	241.4	325.7	27.7
14.0	33.1	53.8	9.0	216.0	296.0	24.0
15.9	25.3	41.4	6.4	221.9	303.7	30.7
15.9	20.7	34.8	4.2	213.3	289.3	42.0
14.8	24.0	39.9	5.3	175.8	245.4	20.9
13.9	20.7	34.4	4.8	178.4	244.6	26.8
14.2	23.9	40.5	4.6	187.3	265.4	22.7
15.7	23.1	40.2	3.8	209.4	299.8	32.9
16.3	22.8	38.0	5.6	174.2	247.5	31.0
15.1	21.7	37.3	4.4	203.0	288.6	35.4
17.0	23.3	38.5	6.5	172.0	241.0	36.6

第　一

臺灣における刑法犯有罪者總數

年度			總數			本島	
			總數	男	女	總數	男
明	治	43	28.8	50.9	4.2	27.8	49.3
同		44	33.4	58.3	5.8	32.5	56.9
大	正	1	35.7	63.1	5.3	34.7	61.8
同		2	36.9	65.2	5.5	35.8	63.8
同		3	35.1	62.0	5.4	34.0	60.5
同		4	30.7	54.4	4.9	29.5	52.5
同		5	36.8	65.4	6.0	35.3	62.8
同		6	41.4	73.6	6.8	40.0	71.3
同		7	41.9	73.9	7.6	40.4	71.5
同		8	44.6	78.6	8.1	43.7	71.7
同		9	39.3	68.9	7.5	38.5	67.8
同		10	39.5	68.5	8.4	38.0	66.0
同		11	44.5	77.0	9.7	43.5	75.5
同		12	48.7	84.3	10.8	48.3	84.0
同		13	51.6	89.6	11.3	51.3	89.3
同		14	57.5	99.9	12.7	57.2	99.5
昭	和	1	57.5	99.0	13.9	57.3	98.7
同		2	59.4	101.0	15.5	59.6	101.6
同		3	60.3	102.7	15.5	60.7	103.9
同		4	61.9	107.1	14.4	62.7	108.9
同		5	54.3	93.1	13.5	54.8	94.0
同		6	52.5	89.5	13.8	52.7	89.9
同		7	56.4	95.6	15.2	56.8	96.3
同		8	57.7	97.7	15.8	58.5	99.3
同		9	55.9	95.3	14.7	56.3	96.0
同		10	58.5	98.5	16.6	59.2	99.9

（二）本島人の犯罪總數はこれに反して逐年ほゞ規則的な增加傾向にある。その率は明治四三年（本島人人口萬につき本島人犯罪人二七・八名）に比し昭和一〇年（同五九・二名）は約二倍の高率に達してゐる。これを罪質により區別してみると、增加傾向のあきらかに認められるのは賭博、過失傷害の兩者に過ぎず、放火、失火、文書僞造、印章僞造、姦通、常習賭博、賭場開張、禮拜所・墳墓、暴行、竊盜、詐欺、恐喝、横領、遺失物横領、贓物等はいづれも明白に減少傾向を示し、その餘の犯罪は增減不明瞭である。過失傷害の增加理由は內地人におけると同樣であらうが、賭博はいかなる理由により增加傾向にあるかつまびらかでない。しかし賭博は現に處罰される犯罪のうちで數においては常に王者である。賭博は他の犯罪とは比較にならぬほど多い。一例を擧げれば、昭和一〇年において本島人刑法犯總數三〇、五六六名中賭博は二六、七七四名、すなはち總數の八八％弱を占めてゐる。從つて賭博の增減はたゞちに總數の增減を左右することになる。賭博がこの二六年間に人口との比率において約二倍になつたのであるから、丁度本島人犯罪の總數が倍加したことと符節を合するのは當然である。そこで犯罪總數において本島人が過去二六年間に著しい增加を示したといふことは、分析してみれば主として賭博が增加したのであつて、過失傷害を除けば他に增加傾向にある犯罪はなく、本島人の道德生活が全般的に低下したことにはならぬ。もし賭博を別論とすれば、本島人も內地人と同樣に各種犯罪漸減傾向に向つてゐるといつてよい。賭博は淸朝治下にある頃は正月には公許されたとい[11]ふことであるから、最近でも陰曆正月は例外なく賭博が極端に多いほどである（これも月次別分布の資料により明瞭に實證される）。それが領臺後まだ年淺き明治の末年に比し最近の方が多くなつたといふことはそのまゝでは奇異の感なきを得ぬ。檢擧方針に特別の變化があつたやうにも聞かない。もし檢擧方針の變更によるものなら、恐らくかやうな漸增傾向を示さず急增したであらうから、この增加は他の理由によるものであらう。檢擧方針には變更がなくとも、漸次本島人の生活を知るに及んで檢擧の手が行き屆くやうになつたといふことも考へられるが、それだけでは昭和になつてからもなほ漸增しつゝある事實を證明し盡せない。この數値の示すほど著しくないにしても、やはり本島人の生活のなかへ賭博の惡習が益々滲潤しつゝあるのではあるまいかと思はれる。もしかゝる實質的增加ありとせば、刑事政策その他一般社會政策において特に考慮されねばならぬことである。もし幸に實質的增加ではなく、本來から多數存在したものが次第に多く檢擧されるやうになつたといふだけなら、本島人の犯罪傾向に關して、統計的數値の上からは何等憂ふべきものは見出されないことになる。

（三）外國人（殆んどすべて華僑）の犯罪率は終始一貫他の族系とは桁違ひの高率を以て、常に最高位を占めてゐる。華僑の生活程度が低かつたことがかく犯罪率を高からしめる大きな理由であらう。

犯罪の面において外國人の犯罪を罪質別にみると、増加傾向のあきらかなのは賭博のみで、減少傾向の見られるのは住居侵入、文書僞造、證券僞造、印章僞造、誣告、禮拜所・墳墓、暴行、傷害、略取・誘拐、竊盜、詐欺、恐喝、横領、遺失物横領、贓物、毀棄等であり、爾餘の諸罪は増減關係明瞭でない。賭博はこの二六年間にほゞ倍化してゐること本島人におけると同様である。生活様式などから考へて、恐らくその増加原因も本島人と大同小異であらう。

(四)　犯罪人の九〇％内外は男が占めてゐるから、男女總數についての敍述は大體そのまゝ男子についての傾向に一致する（第一表）。しかし一般人口との比率を示す數値は、男子だけにおいては總數についての數値の約二倍になる。何となれば犯罪人數は男子だけについても男女合計についても大差なきに反し、比率算出の際分母となるべき一般人口においては男子は男女合計の約半數に過ぎぬからである。

然るに女子については前記總數に關する傾向がそのまゝあてはまるわけではない。第一表の示すところによれば、本島人女子は明治末期（本島人女子一般人口萬に對する本島人女子犯罪人は約五名）に比し昭和一〇年頃（約一六名）は約三倍强の増加となつてゐるが、外國人女子も大體これに近似してゐる。然るに内地人女子はこの間約四〇％内外の減少を示した。これを以てみるに、内地人が減少し、本島人が增加するといふ點では女子も男子と同樣であるが、本島人および外國人にあつては各女子の增加率は各男子のそれよりも著しく、內地人にあつては女子の減少率は男子のそれに多少劣る。すなはちこの二六年間において本島人および外國人は男子よりも女子において著しい犯罪率の增加を來し、內地人においては女子の犯罪率は男子のそれほどには改善されなかつたといふことになる。

第四章　罪名別による差異（その一）

——臺灣本島人・日本內地人・一般外國人の三族比較——

各族系の犯罪率は前敍の如き年次的變遷を經過してゐるので、いま時間的動的觀察を離れて靜的位相の比較を行はうとするにあたり、全二六年の期間の平均を求めるのは多くの場合族系的差異を確知するに適當でない。ゆゑにこゝでは比較的最近の事實を知るため、昭和元年から同一〇年までの一〇年間の資料について考察する。この目的のため、各族系の一般人口萬に對する犯罪人の比率を基礎として第二表を作つた。この一〇年を更に五年づゝ二つの年度群に分つて示したのは、いかなる年度群をとつて見ても果して明瞭な規則性があるかどうかを檢討するためである。この點を說明するため一例を賭博の犯罪率にとれば、その各族系間における順位が外國人、本島人、內地人の順であるといふことは、昭和元年乃至五年（A年度群）の年平均においても昭和六年乃至一〇年（B年度群）の年平均においても完全に一致してゐるから、よほど確實な事實であることがわかる。兩年度群に一致して現れたといふことは恐らくは偶然でないであらうとの推測を可能ならしめる。勿論年度群の數が多ければ多いほど、その確率は増加する。事實、賭博については各單一年度別に數値を檢討しても、何等この順位に動搖はない。これは例外の起らない非常に確實なものであつて、經驗的事實としては動かすべからざる證明の域に達してゐる。然るに他の例を文書僞造にとれば、本罪はA年度群では外國人最も多く、B年度群では内地人が最高率を示してゐるから、一般的にいつて内地人に多い犯罪といふべきか外國人に多い犯罪といふべきかを第二表の資料だけから決定することが出來ない。かやうな場合には、曩に掲出することを割愛した各罪質別の二六年間に亙る犯罪率逐年増減表を調べれば判明することがある。それによると、本罪では大體において外國人が最高率を持することが明白になる。かくの如くにして、A年度群とB年度群との概數的一致により疏明された事實については、それを進んで證明に近づかしめ得るや否やを吟味するため、また概數的一致の得られなかつたものについては、その不一致が實數の少きによる偶然的因子の混入に由來するか、それともその不一致そのものが眞相であつて優劣なきことを意味するか否かを解明するため、前記各罪名別の犯罪率逐年増減表を參照しつゝ第二表に示された數值の解釋を行つて行くことにする。

(一) 刑法犯總數についての犯罪の高低は外國人、本島人、內地人の順である。その相互間の比率はおほよそ八對二對一の關係にあるといつてよい。この數值の由つて來るところは、後に詳記する如く、外國人にあつては眞に各種の犯罪において常に高率なるによるのであるが、本島人にあつてはもつぱら刑法犯總數を支配すべき賭博において內地人より著しく高率なるによるのである。

(二) 內地人、本島人、外國人の三族系を罪質別に比較すると次の通りである。

(1) 內地人が兩年度群とも第一位を占め、他の年度を參照しても最高率なることの一見して明瞭なのは、自殺幇助、過失傷害、横領等の諸罪である。このほか逐年增減表の數值を參酌することによつて同じく最高率なりと認むるを相當とするものに、放火、有價證券僞造、猥褻・姦淫、殺人、逮捕・監禁、名譽、詐欺等がある。これにつき目立つ特色は國家の法益に關する罪全くなく、公共の法益に關する罪も放火、有價證券僞造、猥褻・姦淫の三罪に過ぎぬことである。この三罪は刑法學上は公共の法益に關する罪ではあるが、他面個人の法益に關する罪たるの性質をも倂有するのであり、犯罪心理的にはむしろ個人的法益の侵害を目標とするの性質が濃厚である。それはともかく、國家的法益に關する罪が少いといふことは、內地人の國家意識の高いことを證するものとして注目すべきである。しかし、他面において悪質破廉恥なる犯罪について、内地人がかなり重要な地歩を占めてゐることも指摘せねばならぬ。

(2)　本島人が兩年度群とも第一位を占め、他の年度を參酌しても疑なく最高率にあるのは溢水・水利、住居侵入、禮拜所・墳墓、常習賭博等の四罪であり、逐年增減表を顧慮して同じく第一位を占むるものと見るべきは僞證、誣告、信用・業務の三罪である。個人的法益に關する罪は住居侵入、信用・業務の二罪のみで、他は僞證、誣告の如く國家の搜査權、裁判權の運用を危殆ならしめる罪や、公共の法益を害する罪、殊に常習賭博や禮拜所・墳墓に關する罪のやうな美風良俗に害ある罪が多いのを特色とする。なほ本島人は內地人や外國人に比して罪質の種類が多樣でない。犯罪それ自體として重要とみるべき悪質なる犯罪において低率であることはまことによいことであるが、正義公平の象徵たる搜査裁判に對する態度において甚だ遺憾とすべきものあり、公共の法益を犯し風敎を害する罪の多きは、犯罪自體としてはたとへ重罪ではなくとも、その國民生活に及ぼす影響決して小なりとしない。

(3)　外國人が兩年度群において一致して最高率を示してゐるのは公務妨害、證憑湮滅、失火、通貨僞造、姦通、强姦、賭博、傷害、脅迫、略取・誘拐、竊盜、强盜、遺失物橫領、贓物等一四罪の多きに及んでゐる。これらは逐年增減の詳表を參照してもなほ第一位たることは動かない。なほ右詳表を對照することによつて第一位と見るのを相當とすべきは皇室、逃走、文書僞造、瀆職、暴行、賭場開張の六罪である。外國人犯罪の罪質上の特徴は實にあらゆる方面において高率を示してゐるといふ點にある。國家の法益就中皇室に對する罪の如きがもつぱら外國人の犯罪として現れてゐるのも當然のことといつてよからう。この多彩なる犯罪生活を單に生活程度が低いといふだけの理由に歸することが出來るかは疑問である。

（三） 三族系中外國人が第一位を占めるものが多いため、如上の敍述においては內地人と本島人との比較が十分行はれなかつた點もあるし、かやうな高率を常に保持するものは特殊事情に在るものといふべきであるから、こゝに改めて內地人と本島人との比較考察を若干補充することにする。

本島人におけるよりも內地人においてやゝ明白なる高率を以て現れる犯罪は瀆職、放火、猥褻・姦淫、殺人、自殺幇助、過失傷害、逮捕・監禁、名譽、竊盜、詐欺、横領、毀棄等の罪であり、反對に本島人の方が內地人よりほゞ規則的に高率に現れるのは僞證、誣告、溢水・水利、通貨僞造、失火、禮拜所・墳墓、賭博、常習賭博、姦通、傷害、暴行、信用・業務、遺失物横領、贓物の諸罪である。概況から見ると、前段において兩族系につき述べたと同じことがこの對比についてもあてはまるが、罪質からみると、內地人の詐欺、本島人の傷害、暴行の如く一二特別の說明を要すべきものを除けば、內地人は激越極端なる犯罪を擔當せるに對し、本島人は功利射倖の犯罪に向ふ傾向を示してゐる。これはごく大づかみな特徴を捉へての表現に過ぎないのであつて、勿論これでは盡し得てゐない。この概括の根據もなほ次項の說明を俟たなくては十分判明しない。

（四）　特別の說述を必要とする若干の犯罪につき次に述べる。

(1)　放火が內地人に多いのは何よりも可燃性の木造家屋居住の事實に起因するであらう。成人の放火は歐米の例においても勿論保險金詐取の目的に出づるものが大部分を占めてゐるから、恐らく臺灣もその例に漏れないであらう。もしさうだとすれば自宅放火を主とするから、內地人は自己の居住する木造家屋に放火するといふことになる。火災保險加入率も恐らく內地人が比較的多いのではあるまいか（これは手を盡したが資料が得られなかつた）。また少年犯に多い歸心、怨恨等を動機とする放火においても、內地人は內地人同志の交渉が多いから、內地人によつて被害者に選ばれる者はやはり通常木造家屋に居住する內地人といふことになる。これらの事情によつて內地人の放火が特に多くなることは疑ない。これに反して、失火が內地人に別段多くないのは、それが放火と異り自然發生的であつて、被害物件を全燒せしめんとの選擇的意志が作用せぬからであらう。なるほど失火が自然發生的であつても、木造家屋が煉瓦造家屋よりも燃燒し易いことにおいて放火の場合と變りないわけであるが、放火は他家に對して行ふ場合は勿論、通例屋外から火を點ぜねばならぬし、自宅に對して行ふ場合でもこれを他人の所業の如く裝ふ必要があるから、失火のやうに屋內において行はれ難い。煉瓦造家屋でも屋內は可燃性のものを以て裝備されてゐるばかりか、本島人や華僑の一般住宅は內地人のそれに比し厨房等に藁屑木片等が散亂してゐることが多いため、失火に陷り易い條件にあるといつてよい。しかし、それでもまだ紙障子、襖の類多き內地人住宅に比すれば物的條件としては本島人や華僑の家屋は若干防火的であるとへいるであらう。それにも拘らず失火が內地人より多いのはその生活態度に疎虞なるものあるによると見てよくはあるまいか。

(2) 溢水・水利に關する罪は殆んど本島人に限られた犯罪であるといつてよい。これは恐らく大部分水利妨害罪であらう。本島人の一般人口に農民が非常に多く含まれてゐるに反し、內地人、外國人は、農民が少くて水利に關係が薄いので、本罪を犯さないものと見てよからう。

(3) 四種の僞造罪中有價證券僞造が內地人に多いのは、通貨僞造が外國人や本島人に多いのと比較して考察すべきである。文書僞造が內地人にも少からずあるといふことも併せて考へてよい。有價證券僞造が特に多いのは、一般的にいつて、內地人の經濟生活の發達程度が比較的高いことに由來するといつてよからう。通貨や文書は何人もこれを取扱ふが、有價證券は經濟生活のやゝ高度に發達した者でなくては扱はぬからである。これに對して通貨は他の極端を代表する。經濟生活のやゝ素朴的なものにも通貨は使用される。然るに今日の信用經濟時代にあつては通貨よりは有價證券に重要な經濟的意味が附著してゐる。しかもこれを僞造變造するについて、通貨は有價證券よりも困難でありながら利得は却つて少い。通貨僞造が華僑に多きに對し、內地人には殆んど絕無であり、有價證券僞造がその正反對の關係になつてゐるのは、この經濟的發達程度を如實に物語つてゐる。本罪において族系的には兩族系の中間に本島人が位し、經濟上從つて罪質上では文書僞造が他の兩僞造罪の中間的意味を示してゐるのも、この說述を裏付けるに足るものである。

(4)　性的犯罪は「臺灣犯罪統計」では古くは全部一括して掲出してあつたが、大正六年以後は「猥褻」「强姦」「姦通」「重婚」の四分類に據つてゐるから、「猥褻」と表示されたもののうちには公然猥褻(刑法一七四條)猥褻文書(刑法一七五條)、强制猥褻(刑法一七六條、一七八條前段、一七九條、一八一條)、婦女勸誘(刑法一八二條)等の四態樣を包含することになる。このことは內地人に强姦が少いに拘らず「猥褻」の多い理由を說明する上において考慮されねばならぬ。犯罪統計上「猥褻」として表示されてゐる內地人犯人の多いのは、婦女勸誘または猥褻文書に關する罪が多いからではあるまいか。內地人に限り本罪に女性犯人が關與してゐることからもこの事實は證據だてられる。臺灣が內地人婦女の郷里から遠隔であるところから、婦女勸誘の犯行が行はれ易い。もし犯人自ら行ふ猥褻行爲も內地人に多いとすれば、氣候的條件や「旅の恥はかき捨て」といふやうな不德の態度によつて發生するのではないかと思ふ。一般人口構成上內地人には若い獨身男子がやゝ多いといふことも一因をなすかも知れぬ。しかし、强姦では內地人の犯罪は　低率であるから、「猥褻」の高率なのは婦女勸誘または猥褻文書の類が比較的多く含まれてゐるためと解するのが眞相に近からう。

姦通は內地人に稀で、華僑と本島人とに多い。この點で族系的差異の極めて明瞭な犯罪である。他に特別の事情がないならば、割合に內地人の性的秩序は堅固であり、內地人女子の貞操生活は淸いといはなければならぬ。當時華僑や本島人には蓄妾の風習がなほ根强く殘存してゐたといふことであり、[16]このことも性的秩序紊亂の基であるから、間接にかういふ結果を導くに役立つてゐるであらう。本罪にとつてもつと重大な意味があるであらうと思はれるのは、妻を娶るに聘金を供さねばならぬといふ風習の存在である。夫が妻の不貞を徹底的に詰るためには、他の女を娶るための聘金のあてがなければならぬ。妻の不貞はこゝに寛大に扱はれ易い根據を持つ。現に法令はこの點を顧慮し、本島人に限り離婚しまたは離婚の訴を提起せずして姦通罪の告訴をなし得る旨規定してゐた（大正一一年勅令四〇七號臺灣ニ施行スル法律ノ特例ニ關スル件三五條、刑事訴訟法二六四條）くらゐである。この特例はもとより本夫が聘金のことを考慮せずして妻の不貞を糺彈し得るの道を開いたものではあるが、既にかゝる法令を必要とする社會事情そのものが存する以上、妻の擅恣放逸を導き易いことはこれを否定し得ない。殊に近年聘金制度が衰微に向ふ傾向あると聞くが、姦通罪も亦著しい減少過程をとつてゐる事實はよく這般の關係を物語るものといつてよからう。なほ精神病學者の研究において本島人の心氣症に性的障礙を訴へる者の多きことが特別目に立ち、本島人の民族性のうちに性への特別に深き關心があるものと推測されてゐることに留意すべきである。(17)

重婚は第二表の上では全く數値が零であるが、これは全然實數の零なることを意味するわけではなく、その數のあまりに些少なため、人口萬に對する比率を各年度につき小數點以下二位まで求めたのでは數値が現れなかつたに過ぎない。本罪は婚姻につき屆出主義を採用するわが法制のもとにあつては、戶籍吏の故意または錯誤を利用せざる限り、本來成立し得ないはずのものである。從つて內地ではその成立を期待し得ないのであるが、臺灣で年々二名または三名くらゐ本罪の犯人を出してゐるのは珍しい。戶口事務の缺陷によるものであらう。

(5)　賭博において明治時代には內地人の女が本島人の女よりも高率に現れてゐるし、常習賭博においては明治末に內地人が最高率を示してゐたことなどから見ても、嘗ての臺灣には無賴の內地人が隨分多く渡航してゐたことが窺はれる。

(6) 瀆職罪において、内地人が本島人の二倍以上の高率にあるのは内地人に公務員その他收賄の主體たり得べき身分を有する者が多いといふだけでは說明し盡せない。いま臺灣總督府編「昭和五年國勢調査結果表」(昭和一〇年度の分には所要事項の記載を缺く) の報ずるところを參看すれば、公務自由業者の實數は內地人三六、五七九名(朝鮮人一〇名を含む)、本島人四九、三七一名、外國人八四一名で、本島人は内地人より多い。しかし公務自由業なる職業大分類中には辯護士、醫師、著述業者、宗教家、私立學校教員等收賄の主體たるの身分を缺く者が含まれてゐるから、更に公務自由業者中から皇宮、神社、國家、遞信、專賣、地方、陸軍、海軍、官公立學校等の公務從事員を摘出合算してみると、內地人三一、五二八名、本島人二七、九九三名、外國人三四九名となり、前二者相互間の割合は多少內地人が多くはなるが、依然その差を大なりとはいへない。この公務從事員中には雇員・傭人級の者をも含むやうであるから、必ずしも全員に瀆職罪の主體たり得る資格があるとはいへないが、雇員傭人級の公務從事員でも大抵は判例上刑法に所謂「法令ニ依リ公務ニ從事スル職員」に該當するのを通例とするから、全部を公務員として本罪の主體たり得る身分を有すると見て大局を誤るものではない。一方において、昭和元年乃至一〇年の一〇年間における瀆職犯人の實數平均を求めると、內地人九・二名、本島人五九・五名、外國人一一・九名である。そこでこの年平均瀆職犯人實數と前記昭和五年國勢調査の結果に現れた公務從事員實數とを基礎として、各族系別公務從事員萬に對し當該族系所屬の瀆職犯人出現率を算出してみると、內地人は二九・二名弱、本島人は二一・二名弱、外國人は五四・四名強といふ數値を示す。この數値はいまの資料で追及し得る研究の極限であつて、これ以上のことを詳密に實證する資料がない。この數値を睨んで考へられることは、まづ數字的に、本罪では外國人、內地人、本島人の順であることは動かぬといふことである。これに對して內地人に公務員が多いといふこと、また中級以上の公務員が多いといふことから自然瀆職が多くなるといふ辯解が行はれるであらう。この理由も無視し得ざるところではあるが、瀆職の殆んど全部に近い數を占める刑法上の賄賂罪は公務員によつてのみ犯されるのではない。收賄者は公務員であるが、通常その相手方たる贈賄者は公務員ではない。しかも通常の事例では收賄者より贈賄者の方が數において多い。公訴提起は收賄に對して嚴格に、贈賄に對して寬大に行はれるのは事實であるが、それでも處刑の人數において恐らくは贈賄者の方が多いであらう。從つて公務員の人數の多いことや中級以上の公務員が多いといふことは瀆職の全犯罪人數に對して外見ほどには大きな意味は持たない。かう考へて來ると、瀆職の犯罪率を論ずるのに公務員に對する比率だけを見るのは當を得ないことが明瞭である。同時に一般人口に對する比率も重視せねばならぬ。この關係を最も雄辯に物語るのは、公務に從事すること最も少い外國人が却つて瀆職の犯罪率において最高率にあることである。これを傍證とし、內地人瀆職犯人が內地人の一般人口に對する比率においては本島人の照應數値の二倍を越え、公務從事員數に對する瀆職犯人の比率においても內地人は本島人の約一・五倍に相當するといふ事實を見るとき、中級以上の公務員が內地人に多いといふ點を斟酌しても、結局において內地人は本島人よりも瀆職犯人出現率の高いことを推論せねばならぬ。在臺內地人の犯罪と內地における內地人の犯罪との比較論は割愛するが、在臺內地人の瀆職率は內地のそれよりも著しく高率なのである。華僑に本罪の多いことは慣習の赴くところとして恕すべきものがあるが、由來品位を尊び淸廉を誇るわが吏道のためその弛緩は甚だ遺憾とせざるを得ざるところである。

(7) 生命身體に關する故意犯を一括して見ると、殺人と自殺に關する罪とにおいては內地人は第一位を占めてゐるが、暴行、傷害においては第三位にある。こゝに、よくいへば徹底的、わるくいへば極端過激な內地人の性格を見ることが出來る。傷害は結果的責任として扱はれてゐるから、行爲としては暴行の故意さへあれば、必ずしも傷害するまでの故意がなくとも、たまたま結果において人を傷するに至れば本罪となる。從つて傷害はほんの些細な手出しからでも生じ得るのであり、事實單純な暴行と相去ること遠からざるものが多い。然るに殺人は飽くまで殺意に基く行爲でなければならないから、相當の事態における徹底的な決意がなければ發生しない。こゝに兩罪が一面近似せる點を有するに拘らず、心理的には著しく相違せる反面が存するのである。

暴行と傷害とを同樣に見るべきはいふまでもないが、暴行、傷害が內地人よりも本島人に約三倍の高率において現れてゐるのは、一般本島人の日常生活の一面を證するものである。本島人は親が子を叱責する場合にも體罰を用ゐること內地人に比して著しく多い(18)のみか受罰者において報復的或は抹殺的な反抗意識を持つ率の甚だ高いといふことも心理學者によつて報告されてゐる(19)し、聞くところによれば精神病學者が患者を取扱ふ上での觀察においても「本島人はよく怒る」と觀取されてゐる。怒ることはアドレナリンの分泌を促すから、亞熱帶生活にとつて生理的效果のあることだともいへるであらう(20)。これらの事實はみな本島人の犯罪現象において傷害や暴行が高率に發生せる事實に照應することがらである。これは特記せねばならぬ。なほ本島人に傷害の比較的多いのは、なかば專門的に傷害を事とする老鰻(ローマー)なる職業的犯罪人の存在することにもその一因があらうが、近時當局の努力によつてその被害をあまり聞かなくなつたといふことであるから、數の上にさう大きな影響はないであらう。

自殺に關する罪は殆んどすべて內地人に屬する。こゝで一般の自殺者數を參照してみるに、臺灣總

第三表

族系別自殺者比較（各族系人口萬に對する比率）

年度	內地人		本島人		外國人	
	男	女	男	女	男	女
大正13—昭和3	2.50	1.90	1.53	1.64	2.28	3.49
年平均	0.50	0.38	0.31	0.32	0.45	0.69
昭和4—8	3.25	2.59	1.32	1.65	3.27	2.38
年平均	0.65	0.51	0.26	0.33	0.65	0.47

（臺灣總督府第二十六統計書及同三十七統計書より算出）

督府編「臺灣總督府第二十六統計書」および同　第三十七統計書」によれば、第三表の如き數値を算出することが出來る。これによると、自殺者數は內地人と外國人とは男子において伯仲し、女子において外國人の多きを知る。本島人は男女とも右兩族系より少く、殊に男子は著しく少い。外國人や內地人に本島人より自殺者の高率に出現するのは郷國を離れてゐるといふ事情や郷里を去つて來る事情そのものに大きな原因があるであらうが、こゝに注目すべきは、華僑は內地人より自殺者をむしろ多く出してゐるくらゐであるのに、自殺に關する罪においては殆んど內地人のみひとり高率であるといふ點である。自殺動機の分析にこれ以上深入りする暇を持たないが、これは心中の多いことを意味する。ともかく內地人の自殺には單獨死でないものが割に多いといふ著しい特徴のあることがわかる。

(8)　生命身體に對する過失犯すなはち過失傷害は、一般人口との比率においては內地人男子に際だつて多い犯罪である。こゝに過失傷害として示された數値には業務上過失傷害を包含するから、その數において著しく多い業務上過失傷害がこの全體の數値を決定するものであることは疑ない。しかもそれは、恐らく內地同樣に自動車交通事故によるものが決定的多數を占めてゐるであらう。そこで、瀆職の場合と同樣に、こゝでもまづ內地人の運輸從業員が著しく多いのではあるまいかといふ疑問が起る。この點を解決するため臺灣總督府編「昭和五年國勢調査結果表」の產業分類(職業分類による方が正確であるが、資料がない。これは職業分類とは多少違ふが、大同小異である。)を基礎として運輸從業員の員數を算出し、この運輸從業員一萬人に對する過失傷害の犯人數(昭和元年乃至一〇年の間の年平均數)を求めてみると、第四表に示す如く、本島人三八・八三名、內地人一八・〇三名、外國人四・六二名の順となる。しかしこの數値はまだ各族系の輕率の度合または技能の程度を語るものではない。何となれば、この數値において外國人の低率なのは過失傷害の危險乏しき人力車の車夫が全運輸從業員の過半數を占めてゐるからである。

內地人の低率なのは人身事故發生の頻度高からざる鐵道と船舶の從業員が大半を占めてゐるからである。そこで過失傷害の大部分を占めるのは自動車交通事故と見て、自動車從業員一萬人に對する本

第四表（その一）

族系別運輸業者一般人口（實數）

業種	內地人		本島人		外國人	
	男	女	男	女	男	女
鐵道軌道業	5,185	119	12,709	123	65	1
乘合自動車業	165	24	1,258	130	5	1
自動車運輸業	356	7	2,164	36	13	0
人力車業	51	0	2,991	7	1,107	0
其の他の車馬運輸業	11	0	4,634	67	39	0
船舶運輸業	1,666	13	4,362	13	933	0
合計	7,434	163	28,118	376	2,162	2
男女總計	7,597		28,494		2,164	

（臺灣總督府昭和五年國勢調査結果表全島篇二四四頁より算出）

第四表（その二）

族系別特殊職業人口に對する過失傷害犯人の比率

事項	內地人	本島人	外國人
昭和1—10の年平均過失傷害犯人實數	13.7	107.8	1.0
運輸業者萬につき同上犯人數	18.03	37.83	46.2
自動車交通從業員男子萬につき同上犯人數	262.95	315.02	555.55

罪の犯人數を算出すると、かやうな不純因子が大體排除された結果がわかる。かくて得た第四表相當欄の數値によれば、外國人五五五・五五名、本島人三一五・〇二名、內地人二六二・九五名の順となる。これが各族系別運輸機關從業員の輕率度もしくは技能熟達程度を示すものとしては最も眞相に近い數値である。過失傷害において現れたこの順位は同じく過失に基く犯罪たる失火において示された順位に一致する。

(9)　遺棄、略取・誘拐、逮捕・監禁等の罪が外國人、內地人に相當見られるに拘らず、本島人に少いのは、曩に述べた婦女勸誘が內地人に多いのと同樣の理由により、大部分は鄕國を遠ざかつた或は遠ざけられた婦女を被害者としての犯行と考へられる。女の犯罪人が割合多く關與してゐることにもその一端が窺はれる。犯人のうちにはこれらの罪を犯すがために渡航する者も少くないであらう。

住居侵入は本島人に特に多い犯罪である。內地においては住居侵入として處罰されるものには俗にいふ「夜這」の惡習によるものがかなり多い。このほか主なるものとしては、竊盜の目的を以てする住居侵入でその目的を遂ぐるに至らぬものと暴力を振ふための住居侵入とがこれに加へられる。臺灣での事情が十分つまびらかでないが、この種の惡習はあまり聞かないから、主として後の二者が本島人間に多いのであらう。

(10) 名譽毀損は第二表の數字によると、外國人はA年度群において最高率になつてゐるが、これは、いかなる事情か昭和元年と同二年とだけに多數の犯罪があつたため、偶然に表の上で高率に現れたに過ぎない。逐年增減の詳表を參照すれば、B年度群の示す數値がむしろ常態を物語るのであつて、本罪は內地人に特に多い犯罪なることと明瞭である。本罪が親告罪であることおよび內地人は內地人同志交涉の多いことを考へ合せると、この數字は被害者の感情の反映である。これによつて、內地人が侵害の對象としても、また侵害に對する反撥としても、名譽に特別の關心を有する性情を持つことが窺はれる。これに對して面白い對照をなすのは信用・業務に關する罪であつて、これは本島人においてもかなり多くあるのである。

(11) 財產罪における關係を見るに、巷間では本島人の敎養のない階級に竊盜が頻繁に行はれるといはれてゐるに拘らず、第二表の示す竊盜の數値は本島人において最低であつて、內地人は本島人よりも高率である。惟ふに巷間に傳へられる本島人の盜癖問題が眞なりとすれば、起訴に値しないやうな、或は被害屆も行はれないやうな微々たる掻拂の類が本島人下層民のなかに多いのが目立つのであつて、被害屆または公訴提起を行ふ價値のあるやうなやゝ大きい竊盜は却つて內地人に多いといふことになるのであらう。强盜、遺失物橫領等の諸罪において竊盜と同樣に外國人が第一位を占めてゐるのは行

表

般人口構成（%）

人	本島人			外國人		
女	計	男	女	計	男	女
—	71.42	67.94	82.39	3.10	2.77	8.61
—	1.61	2.05	0.23	0.46	0.49	0.60
—	1.10	1.34	0.35	3.22	3.38	0.70
0.32	7.54	7.57	7.46	43.42	43.37	44.12
94.62	9.05	10.21	5.38	29.15	29.21	28.11
—	2.99	3.84	0.28	13.55	14.33	0.47
—	2.24	2.70	0.79	3.05	2.99	4.02
4.43	0.48	0.12	1.62	0.93	0.27	11.93
0.63	3.57	4.23	1.50	3.12	3.19	1.98
100	100	100	100	100	100	100

表五三頁五四頁による）

爲が單純で比較的智力を要しないことによるであらう。これに對して智力を必要とする詐欺や信賴による委託を前提とする橫領は內地人に多いことを注意せねばならぬ。贓物に關する罪が內地人に格別少いのは間接的手段による功利的犯罪よりは直接的利欲犯を選ぶ直情的性向あることを示すものである。

（五）　これまで述べて來た內地人は飽くまで在臺內地人であつて、必ずしも內地人一般の代表ではないといふことをこゝに特記せねばならぬ。(21)

在臺內地人は內地人一般のうち最

第　五

各族系職業別一

職業	内地人			朝鮮	
	計	男	女	計	男
農業・林業	4.91	4.58	6.63	0.84	1.52
水産業	1.79	2.13	0.02	5.20	9.34
鑛業	0.46	0.54	0.05	—	—
工業	16.33	18.19	6.72	7.16	12.63
商業	20.03	14.56	48.21	54.49	22.47
交通業	10.01	11.02	4.78	26.97	48.48
公務自由業	41.54	45.51	21.13	2.81	5.05
家事使用人	1.71	0.04	10.29	1.97	—
その他の有業者	3.22	3.43	2.17	0.56	0.51
有業者合計	100	100	100	100	100

(前掲昭和五年國勢調査

高の素質と教養とを有する部類の者をあまり多く含まぬと同時に、最低の素質と教養とを有するに過ぎぬ部類の者もあまり多くは含まない。この後段の事由は在臺内地人の犯罪率を内地人一般のそれよりも低からしむる條件となる。在臺内地人人口職業構成を見ると（第五表）、公務自由業者が全有業者の四一・五四％を占めてゐるが、公務自由業者は犯罪の低いのを常とするから、この點も在臺内地人の犯罪率を内地人一般や本島人のそれよりも低からしむる條件をなす。しかし他面において在臺

第六表

各職業別一般人口萬に對する犯罪人の比率（昭和15年度）

職業	內地人		本島人		外國人	
	實數	比率	實數	比率	實數	比率
農業・林業	4	8.97	8,046	67.51	8	85.19
水產業	31	187.08	462	172.09	2	142.85
鑛業	0	0	660	359.43	19	194.67
工業	122	82.23	2,057	163.48	271	206.14
商業	119	64.24	3,214	212.85	205	232.26
交通業	53	57.26	934	187.58	108	263.28
公務自由業	28	7.43	344	91.89	11	119.30
家事使用人	0	0	2	2.48	0	0
其の他の有業者	36	123.11	6,689	1,122.61	168	1,775.89
無職・無申告者	89	6.45	1,217	4.60	41	21.13

（一般人口は國勢調査結果表全島篇五三頁，犯罪人數は臺灣犯罪統計一一〇頁による）

內地人は農業および林業從事者といふ犯罪率の極めて低い集團をあまり含まない點で、その犯罪率は內地人一般および本島人のそれよりも相當高率に現れて然るべき條件をも具へてゐる（第六表）。在臺內地人が都市に集中せることも犯罪率の高さを期待せしむる事情である。反對に、在臺內地人が一般に教育程度の高いことは、選拔と淘汰とを經てゐるから、自然その犯罪を少からしめるに役立つてゐるであらう。(22)

これらの積極ならびに消極の諸

條件を顧慮するとき、全體の犯罪率の上では在臺內地人が內地人一般よりもやゝ高率であることは當然のこととして考へ得ぬこともないが、その罪質に至つては在臺內地人を以て內地人一般の典型的代表なりとすることは躊躇せねばならぬ。本篇における族系比較の對象としてはたゞ在臺內地人がそれとして選ばれたことを特記しておく必要がある。

第五章　罪名別による差異（その二）

――福建・廣東・平埔・高砂の四系比較――

本島人が福建、廣東、平埔、高砂の四族系に細別されることは冒頭に記した通りであるが、その細別についての資料は頗る制限されてゐて、研究の手の容易に届き得ないものが少くない。たとへば普通行政區域外に屬する地域たる所謂蕃界にある高砂族については、公訴の提起は稟請を經て行はれ、事件は行政的處置を以て終局するものが多いから、犯罪統計の示す數値の意味に大きな相違がある。また福建、廣東兩系の細別の如きも、それを知り得る資料に乏しいので、窮極まで追究することが出來ない。從つて甚だ隔靴搔痒のきらひはあるが、概略的にこれに觸れておくことにする。

（一）　刑法犯總數においては第七表に示す如く、各族系人口萬に對する犯罪人の比率は福建、廣東、

表

罪率（人口萬に對する比率）

系	平埔族		高砂族	
比率	實數	比率	實數	比率
20.5	36	7.6	缺	缺
25.2	59	12.1	9	1.9
43.9	96	18.8	8	1.6
32.7	92	17.0	6	0.4
34.4	90	15.6	13	8.6

國勢調査結果表による）

平埔、高砂の順であることを知る。これらの族系細別の一般人口は各年別に判明しないので、前記族系大別の敍述の場合と同じやうに、昭和元年乃至一〇年の資料について考察することも、或はさらに遡つて明治四三年までの資料を逐年考察することも出來ない。たゞ國勢調査のあつた五箇年の各年度について算出し得たのが第七表を形成したのである。これによると、どの年度をとつてみても、前記四細別の順位は動かない。その相互間の比率は最近の事情たる昭和一〇年度についていへば、高砂一に對しおよそ平埔二、廣東四、福建八といふ割合になつてゐるから、各族系間の差異はさう小さなものではない。しかもこの差異は曩の族系大別において內地人と本島人との間に存したやうな賭博の數によつて左右されてゐるのでないことは後に述べる如くである。

第　七

臺灣本島人族系細別犯

年度	福建系		廣・東
	實數	比率	實數
大正4年	8,807	32.0	980
同9年	12,032	42.2	1,312
同14年	19,320	62.3	2,515
昭和5年	21,403	61.7	2,124
同10年	26,368	66.9	2,531

(一般人口は各當該年度

（二）罪質別に考察するには、平埔、高砂兩族は前述の如き特殊事情あるほか數も少なすぎるから、これを姑く置き、福建、廣東兩系について犯罪實數の比較的多いもの二二罪だけを摘出して第八表を作つた。やはり各族系人口萬に對する當該族系の犯罪率を求めて作成したのであるが、一般人口との比率を求めるに際し、各年度別に兩系の細別の人口が判明しないので、A年度群（昭和元年乃至五年の五箇年間）の犯罪實數については昭和五年度國勢調査による人口に對する比率を算出し、B年度群（昭和六年乃至一〇年の五箇年間）の犯罪實數についてけ昭和一〇年度國勢調査による人口との比を計算して出したものである。これによると、福建系は住居侵入、賭博、常習賭博、傷害、暴行、竊盜、强盜、詐欺、恐喝、横領、贓物等の一一罪において、廣東系は姦通の一罪に

表

較（人口萬に對する比率）

系	廣	東		系
	男		女	
昭 6—10	昭 1—5	昭 6—10	昭 1—5	昭 6—10
0	0.33	0	0.01	0
0	0 02	0.06	0	0
0.06	0.11	0.08	0.08	0.03
0	0.09	0.06	0	0
0	0.11	0.13	0	0
0.01	0.13	0.12	0.01	0
0	0.01	0.03	0	0
0	0.05	0.04	0	0
0.27	0.82	0.49	0.96	0.50
16.62	56.09	86.46	4.99	4.36
0.01	0.62	0.38	0.05	0.02
0.01	0.18	0.25	0.01	0.01
0.03	0.12	0.21	0.02	0.02
0.20	4.09	1.69	0.59	0.19
0	0.13	0.03	0.04	0
0	0.06	0.43	0	0
0.06	2.58	2.05	0.10	0.04
0	0.06	0.03	0	0
0.02	1.09	0.93	0.01	0
0	0.07	0.04	0	0
0	0.26	0.20	0	0
0	0.15	0.05	0	0

第八　福建廣東兩系罪質別比

族系／年度／罪名別	福建		
	男		女
	昭 1—5	昭 6—10	昭 1—5
公務妨害	0.15	0.02	0.02
放火	0.02	0.03	0.01
失火	0.16	0.05	0.18
溢水	0.10	0.02	0
住居侵入	0.39	0.27	0
文書僞造	0.19	0.09	0.03
猥褻	0.03	0.02	0
强姦	0.08	0.06	0
姦通	0.34	0.26	0.38
賭博	84.17	88.53	14.30
常習賭博	1.34	0.82	0.02
賄賂	0.21	0.28	0.01
殺人	0.16	0.18	0.01
傷害	8.39	4.75	0.71
暴行	0.32	0.06	0.03
過失傷害	0.52	0.39	0.02
竊盜	6.02	5.09	0.15
强盜	0.22	0.11	0
詐欺	1.57	1.25	0.03
恐喝	0.24	0.10	0
橫領	0.58	0.29	0
贓物	0.31	0.17	0

おいてのみそれぞれ極めて明白な高率を示してゐるが、その他の各罪においてはその優劣關係は不明確である。

(1)　賭博はその數において兩族系の犯罪總數に重大な影響を與へるものではあるが、第七表によりあきらかな如く賭博における兩族系の差は前に述べた刑法犯總數における兩族系間の差ほど著しいものではない。ゆゑに兩族系間の差異の主因を賭博における差に歸することは出來ない。この點では內地人と本島人との差異よりもつと著しいものがあるともいへるのである。それはともかくとして、常習賭博でも賭博でも福建系は廣東系よりあきらかに高率を示してゐる。こゝに福建系の特に射倖的なのを見るのである。

(2)　傷害、暴行における兩族系の相違は射倖的犯罪におけるよりも著しい。福建系の方が粗暴なることは數字の上では一應否定出來ない。福建系に住居侵入の多いのも、もしそれが暴力を振ふための行爲を多く含んでゐるとすれば、これと同樣に理解されるわけである。

(3)　財產罪においては一つの例外もなく、すべての犯行態樣において福建系は廣東系よりも遙に高い犯罪率を示してゐる。比較的その差の大きくないのは詐欺であることも後日の研究のため特記しておく價値があらう。財產罪におけるかやうな事實は、福建系が廣東系に比して、よい方面においては理財の才に長けてゐるであらうが、犯罪の表面では甚だ利欲的な性格を有することを表してゐる。

(4) 姦通罪においては廣東系が目立つて高率である。性秩序の紊亂を證するものであると一應は考へたい。舊慣によれば福建系の女には纏足が施されたが、廣東系にはそれが稀有である。纏足は女の外出を防ぎ、亂倫をなからしめんとの目的から起つたとする說が正當ならば、福建系に比し廣東系の性秩序の亂れてゐるのは長い間の風習から來たものだといふことにならう。一說には廣東系は福建系に比して情に溺れ易い性向を有するともいふ。また臺灣の檢察部の或る長官はその事件處理の經驗から推して「廣東系は情熱的で一旦姦通關係を生ずると長く續けるので、そのうちに發覺するが、福建系は金の切目が緣の切目となり、比較的短期間に關係を斷つから發覺することが少い」といふことを座談的に述べてゐた。いづれも一考に値することとして附記しておく。なほ本罪は親告罪であるから、主として被害者の態度の相違によつてかゝる結果を示してゐるかも知れぬ。

(二) 福建、廣東兩系を以上の如く比較して來ると、一般的には福建系より廣東系の方があきらかに道德的に良質の族系として犯罪現象の面に浮び出てくる。兩族の性格を知るため、著者は別に心理學的な性格調査をも行つたことがあるが、別に一般內地人の第三者としての公平な觀察を知るため、常時兩族系に接觸することの多い指導者層に屬する各方面の內地人十餘名に對談的に質問してみたが、その答もこゝに現れた結果に殆んど一致してゐた。福建系の一般民衆の教化上十分の考慮を拂つて、その道德的向上を期すべきである。たゞこゝに一言福建系のために辯じておかなければならないのは、福建系は都市集中で商業に從事する者が多いから、多く山地田園にあつて農耕林產に携はる廣東系に比し、地理的・職業的に犯罪を誘發され易い事情にあるといふことである。この點を追究するためかなり手を盡したが、利用し得べき資料を全然缺くので、その程度を數量的に實證することは出來ない。たゞこれらの事情を斟酌すると、兩族系の差異は素質的にはそれほど大きなものでなくなることをあきらかにしておかう。

第六章　結　語

最後に、文教政策、社會政策ならびに刑事政策的な概括を加へておかう。細部については旣にそれぞれの機會においていつたことである。

(1)　在臺內地人は明治末年頃は頗る惡質な分子を多く含んでゐたことが窺はれるが、次第に改善され、遂には諸族系中最も犯罪率が低くなつた。諸種の犯罪が概ね逐年減少の傾向にあることは甚だよい。しかし昨今なほ重罪事件は本島人よりも內地人において高率に現れてゐたことが明白である。

國家的法益を害する罪の少いのは大いによい特質であるが、財産に對する破廉恥罪の多きは、たとひ一時的渡航者の犯行多しとするも、甚だ忌むべきことである。また猥褻、略取・誘拐、逮捕・監禁の如き婦女の人身自由に關聯する犯罪が比較的多く行はれるのは外地たるの特殊性に基くとはいへ、考慮を要する。內地人犯罪中特段の留意を要するものは瀆職罪である。これは當時巷間の風説の一部を數字が立證してゐるのである。

(2) 本島人については賭博、姦通等の風俗を害する犯罪が最大の問題である。その防遏は刑罰を以て行ふことは至難である。殊に賭博の如きは逐年增加の傾向顯著であつて、明治末に比し昭和一〇年頃は約二倍になつてゐる。これが本島人刑法犯の總體的增加の主因をなしてゐるのである。文教政策上重點の置かるべき一點たるを失はぬ。一般に賭博は數において多きのみならず、諸罪の誘因ともなる。强大な射倖心と根強き功利性とを持ちながら、その社會生活において過誤なきを期することは困難であるといはねばならぬ。所謂新生活運動などにおいても十分考慮して然るべきところである。もうひとつ看過し得ないのは捜査・裁判に關聯せる罪の多いことである。これは、一般に未だ確固たる基礎と整備せる組織とを持つた社會の成員としての意識が十分作られてゐない者の少からざることを證するものである。同じく文教訓練の成果に俟たねばならぬ。

こゝに本島人といふのは四つの細別族系を含むわけであるが、福建系は在住民全人口の約七五%、すなはち本島人總數の約八〇%を占めてゐるから、福建系が全本島人の犯罪現象は勿論、臺灣の犯罪現象そのものの大勢をも決するのである。從つて、上に「本島人」として述べたことは福建系には大體そのまゝあてはまるが、他の廣東、平埔、高砂の三族系には必ずしも該當しない。廣東系は姦通罪の著しく多い點を除けば、概ね犯罪の分野において大きな役割を演じてゐない。平埔、高砂についてはなほ今後の正確な資料に俟たねばならぬ。

(3)　臺灣在住の外國人はその殆んどすべてが華僑であるが、華僑は殆んどあらゆる部面において重大なる犯罪に大きな役割を演じてゐる。その數においても他の諸族系に數倍する實情にある。それがわが國の領土たると民國の領土たるとを問はず、特に對策が講ぜられねばならぬ。

註（1）Lombroso, Cesare, Le Crime, Causes et Remèdes, 12e. ed., 1907. Pp. 39.
（2）Lombroso, Op. cit., Pp. 41.
（3）Lombroso, Op. cit., Pp. 27.
（4）Lombroso, Op. cit., Pp. 42.
（5）Lombroso, Op. cit., Pp. 46.
（6）Tarde, Gabriel, Criminalité comparée, 1886. p. 13.

（7）Parmelee, Maurice, Criminology. 1920. P. 140.
（8）Merimée, Prosper, Colomba.（邦譯、杉捷夫譯「コロンバ」昭和六年）。
（9）Aschaffenburg, Gustav, Das Verbrechen und seine Bekämpfung, 3. Aufl., 1923. S. 30 f.
（10）Gault, Robert, Criminology, 1932. p. 211.
（11）Eickstedt, Egon Freiherr, Rassenkunde und Rassengeschichte der Menschheit, 2. Aufl., 1. Bd., 1. Lfg., 1937, S. 40.
（12）Eickstedt, Op. cit., S. 69.
（13）ケトレー「人間に就て」（平貞藏・山村喬譯）下卷、昭和一六年、二版、一五〇頁以下。
（14）植松正「戰爭の犯罪に及ぼす影響」、犯罪學雜誌、昭和一三年、一二卷、五〇六頁。
（15）鈴木清一郎「臺灣舊慣冠婚葬祭と年中行事」、昭和九年、二七六頁。
（16）姉齒松平「本島人ノミニ關スル親族法竝相續法ノ大要」、昭和一三年、一三一頁以下。
（17）奧村二吉「臺灣に於ける心氣症（神經質）の統計」、精神神經學雜誌、昭和一六年、四六卷、六六三頁、六六四頁。
（18）藤澤茽「内臺兒童の叱られた經驗内容」、日本學術協會報告、昭和一〇年、一〇卷四號、一〇六八頁。
（19）藤澤茽「内臺兒童の叱罰の回想」、臺灣教育、昭和一〇年五月號、三四頁。
（20）中脩三「熱帶神經衰弱及び精神病問題」、太平洋協會編「南方醫學論叢」、昭和一七年、二一五頁。
（21）反對說 Garofalo, R., Criminology. 1914, Pp. 137.

『民族と犯罪』 正誤表

頁	行	(註)	正	誤
14	4	(4)	Roesner	Roesener
〃	5	(5)	〃	〃
18	11	(12)	〃	〃
28	1	本文	レスネル (Roesner)	レーゼネル (Roesener)
30	2	(2)	Roesner	Roesener
60	3	(1)	〃	〃
73	2	(1)	〃	〃
〃	3	(2)	〃	〃
〃	5	(4)	〃	〃
87	10	(1)	〃	〃
99	7	(2)	〃	〃
138	2	本文	レスネル (Roesner)	レーゼネル (Roesener)
139	2	(1)	Roesner	Roesener

（日本出版協會會員番號　A125067）

著作權所有

昭和二十二年十二月十日　初版印刷
昭和二十二年十二月十五日　初版發行

民族と犯罪

著作者　植松正（うえまつ ただし）

發行者　江草四郎
東京都千代田區神田神保町二ノ十七

印刷者　笠井朝義
東京都港區芝南佐久間町一ノ五十三

發行所　書肆有斐閣
東京都千代田區神田神保町二丁目十七番地
本郷支店　文京區東京大學正門前
京都支店　左京區吉田牛ノ宮町三

配給元　日本出版配給株式會社
東京都千代田區神田淡路町二丁目九番地

印刷　笠井出版印刷社芝工場（東京728）
製本　高陽堂製本所

民族と犯罪（オンデマンド版）
新日本刑事学叢書 2

2013年2月15日　発行

著　者　　植松　正
発行者　　江草　貞治
発行所　　株式会社 有斐閣
〒101-0051　東京都千代田区神田神保町2-17
TEL　03(3264)1314(編集)　03(3265)6811(営業)
URL　http://www.yuhikaku.co.jp/

印刷・製本　株式会社 デジタルパブリッシングサービス
URL　http://www.d-pub.co.jp/

AG568

ISBN4-641-91094-4
Printed in Japan